LA CUENTA ATRÁS

ecc

LA CUENTA ATRÁS

CARLOS PORTELA
GUION

SERGI SAN JULIÁN
DIBUJO, TINTAS

SERGI SAN JULIÁN, DAVID OTÁLORA Y MARTA MESAS
COLOR

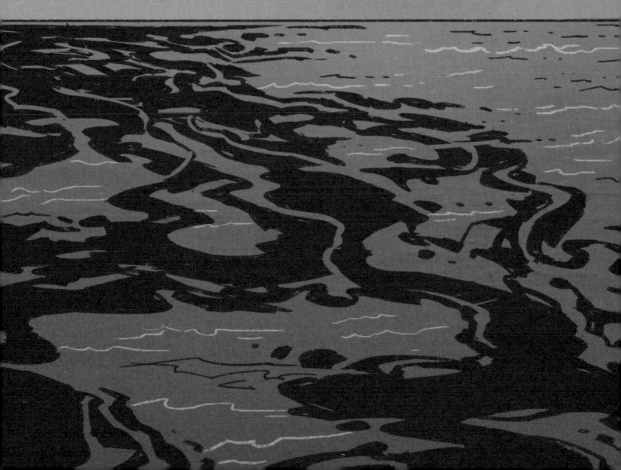

Não nos venham com cantigas

não cantamos para esquecer,

nós cantamos para lembrar.

«Uns vão bem e outros mal».

Fausto

Obra ganadora del II Premio Divina Pastora de novela gráfica social.

Traducción (en la edición en gallego): **César Lorenzo**
Rotulación: **María José Armero** y **Roque Romero**
Diseño: **Jordi Vázquez** y **Albert Torner**
Edición: **David Fernández**

Impreso en España
DL B 11561-2022. ISBN: 978-84-19351-81-4

Más información sobre nuestras publicaciones en www.eccediciones.com

Si deseas adquirir nuestros cómics, puedes hacerlo en www.ecccomics.com

Puedes adquirir arte original en www.eccarteycoleccionismo.com

Si tienes una librería y quieres disponer de nuestros títulos, envíanos un e-mail a **comercial@eccediciones.com** o llama al **93 252 20 28**

Contacto para medios: **prensa@eccediciones.com**

   /eccediciones   canaleccediciones

Los compromisos de ECC Ediciones con los lectores:

· ECC siempre termina las colecciones que empieza a publicar.
· El precio de nuestros cómics depende únicamente de las características industriales y del número de páginas. Nuestra tabla de precios es pública y puedes acceder a ella en nuestra página web. Los títulos con características no reflejadas en dicha tabla no se rigen por ella.
· Las historias que publicamos en ediciones limitadas o ediciones para coleccionistas siempre se publican también en ediciones regulares. La edición puede ser limitada, pero no lo es el acceso al contenido.

Más información sobre nuestros compromisos con los lectores en **www.eccediciones.com/compromisos**

Estoy ante el mar.
Ahí está,
Ahí está el mar.
Lo miro.
El mar. Ah, bueno.
Es como en el Louvre.

EL DESCUBRIMIENTO
DE LAS SOMBRAS

Se trata de un poema que el sueco **Göram Palm** escribió en 1964. Me gusta esa ironía. Nosotros podemos escribir de muchas formas acerca del mar, pero se acabó el tiempo de las "estampas típicas" y de los "marcos incomparables" y de las "buenas vistas". Si la belleza va unida a la verdad, como expresó la rebelión romántica, no podemos contemplar hoy el mar, y la naturaleza toda, al margen de las dramáticas preguntas que el paisaje emite y que nos golpean. Eso fue lo que ocurrió en Galicia en los últimos años, con la serie de mareas negras y agresiones altamente contaminantes que situaron este espacio atlántico en primera línea de la sociedad de riesgo.

Esta serie de gravísimos sucesos, que culminaron con la descomunal catástrofe del Prestige, en noviembre de 2002, fueron en principio asumidos y presentados como parte de un *fatum*, de un destino. El mar como un Leviatán. Galicia víctima de un hechizo histórico. El relato dominante situaba siempre las tragedias del mar en la estela de la fatalidad, y en el ámbito de la superstición.

Ya había sucedido lo mismo con los naufragios de marineros. Era ley del mar, un tributo de vida humana que había que pagarle. Hasta que se invirtió un poco de dinero en las barcas de la Cruz Roja, en el helicóptero de Salvamento Marítimo y en la seguridad de las embarcaciones y de los puertos. No era el mar el enemigo, sino la dejadez y la inmoralidad de los que tenían poder para enfrentarse a todo eso y no lo hacían.

El gran pez que se tragó a Jonás no lo soltó fuera, no le abrió la trampilla, hasta que compuso un poema que era un sublime aullido, una onomatopeya del subconsciente. El fuerte simbolismo mundial del caso Prestige tiene que ver con las dimensiones del daño, pero también con la extraordinaria reacción cívica de afectados y voluntarios, que compusieron un "poema" liberador a la manera de Jonás. Fue muy importante la ironía como contradiscurso, como lo fueron las formas de expresión: las manifestaciones como *performances*, con una simbiosis activa pocas veces antes experimentada en la calle de gentes y artes. Fue grito. Fue denuncia. Fue catarsis. Fue creación. Solidaridad y re-existencia.

Frente al hundimiento y pérdida de confianza político-burocrática, frente a la inseguridad global de la codicia del capitalismo impaciente, emergió un pueblo con energía alternativa. Y creativa.

Después vino cierto reflujo. Por un lado, toneladas de silencio encima de la gente por parte de aquellos que enfermaron con la explosión de libertad. Por otro, la necesidad de la propia gente de transformar la energía en una corriente práctica.

Pienso que se acerca una nueva etapa muy positiva. La de las creaciones, reflexiones y ensayos que se inspirarán en ese arranque gallego del siglo XXI.

La cuenta atrás es un gran salto adelante. Tiene ese carácter de marca histórica por muchas razones. La obra de **Carlos Portela** y **Sergi San Julián** es la primera gran novela gráfica a nuestro alrededor en una línea de *thriller* político-social. Una obra artísticamente madura y valiente, por lo que consigue esa condición de "golpear y desgarrar" que **Franz Kafka** les pedía a las creaciones. Indaga en los mecanismos de control y dominio en los ámbitos públicos, pero también en los códigos éticos individuales, donde pueden cohabitar, de forma contradictoria, el coraje y la servidumbre. Ese espacio de lo imprevisible humano también está presente en *La cuenta atrás*. Una novedad que atrapa como tela de araña de ficción real y que va a dejar huella de obra fundadora. Un luminoso descubrimiento en los dominios de las sombras.

MANUEL RIVAS, 2008

ESTA ES LA IMA-GEN.

A VER, DÉJAME VERLA.

UN POCO TÍPICA, ¿NO?

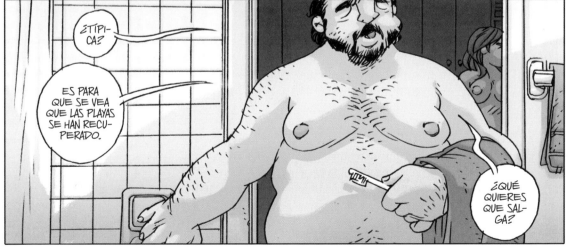

¿TÍPI-CA?

ES PARA QUE SE VEA QUE LAS PLAYAS SE HAN RECU-PERADO.

¿QUÉ QUIERES QUE SAL-GA?

LA GENTE NO QUIERE REGODEARSE EN LAS TRAGEDIAS.

TÚ SÍ QUE NO LO ENTIENDES...

ESA IMAGEN SIGNIFICA QUE TODO ESTÁ BIEN, QUE LA VIDA SIGUE... COMO SIEMPRE.

Y ADEMÁS, ES VERDAD.

¿QUÉ TAL?

EL NUDO, COMO SIEMPRE.

UMM... DE ESO SE TRATA...

...DE QUE LAS COSAS NO CAMBIEN.

HAY 52 PLAYAS QUE HAN RECUPERADO TOTALMENTE SU ASPECTO ORIGINAL.

63 QUE PREVISIBLEMENTE LO HARÁN EN LOS PRÓXIMOS SEIS MESES...

POR UNA CUESTIÓN NUMÉRICA NO NOS INTERESA HABLAR DE PLAYAS AFECTADAS, SINO DEL TOTAL DE PLAYAS APTAS PARA EL USO.

NO DIVAGUES, AL GRANO.

...Y 108 QUE AÚN NO ESTÁN APTAS PERO QUE LO ESTARÁN EN LOS PRÓXIMOS SEIS MESES.

RESUMIENDO...

HAY 426 PLAYAS, DIREMOS QUE EL 75... MEJOR, LAS TRES CUARTAS PARTES DE LAS PLAYAS SON APTAS...

SUENA BIEN. ¿Y EL RESTO...?

¿EN CUÁNTO TIEMPO ESTARÁN BIEN? ¿EN UN AÑO...? ¿ES POSIBLE?

HMMM... NO SÉ... NADIE PODRÍA AFIRMAR ESO CON CERTEZA...

...NI, CLARO ESTÁ, DESMENTIRLO.

PERFECTO. LA IDEA ES QUE LAS TRES CUARTAS PARTES DE LAS PLAYAS ESTÁN RECUPERADAS Y LAS DEMÁS ESTARÁN PERFECTAS EN UN AÑO.

EN CUANTO A LA PESCA... ENTRE LAS AYUDAS Y LA APERTURA DE LAS VEDAS ESTAMOS EN TORNO AL 85% DEL MOVIMIENTO ECONÓMICO DEL SECTOR.

BIEN... BIEN...

LA INDUSTRIA Y EL PAÍS ESTÁN DE NUEVO EN MARCHA, ESA ES LA CLAVE.

HAY QUE TENER CUIDADO CON LAS CIFRAS DE VOLÚMENES DE CAPTURAS GLOBALES. AQUÍ INTERESA CENTRARLO EN UN ANÁLISIS LOCAL.

DAME UN EJEMPLO...

...POR EJEMPLO, VILLAREY, DONDE EL ÍNDICE DE CAPTURAS NO SOLO SE HA RECUPERADO, SINO QUE, EN LO QUE LLEVAMOS DE CAMPAÑA, HA SUPERADO EN 500 TONELADAS LA CIFRA DEL AÑO ANTERIOR.

COMO SIGA ASÍ LA COSA, DEJO LA POLÍTICA Y ME HAGO ARMADOR.

UENTA ATRÁS
A TERMINADO

ESTAMOS DE NUEVO EN MAR

LA CU
HA TE

ESTAMO

¿CUÁL ES EL ÁMBITO DE LA CAMPAÑA?

LA PRIMERA FASE ES ESTÁTI-CA...

...CON ANUNCIOS EN PRENSA –QUE YA DEBE-RÍAN ESTAR EN LOS PRINCI-PALES MEDIOS DE COMUNI-CACIÓN ESCRITA–, VALLAS Y ANUNCIOS EN AUTOBUSES Y MARQUESINAS.

ES MÁS, CREO QUE INAUGURAMOS EL SUPLEMENTO DE HOY, ¿NO ES ASÍ?

¿HAY ALGUIEN DE HOY?

SALDRÁ EL ANUNCIO, ¿NO?

EN LA CONTRA-PORTA-DA.

CON LO QUE HAN COBRADO, YA PODÍAN HABER-LO PUESTO EN PORTADA.

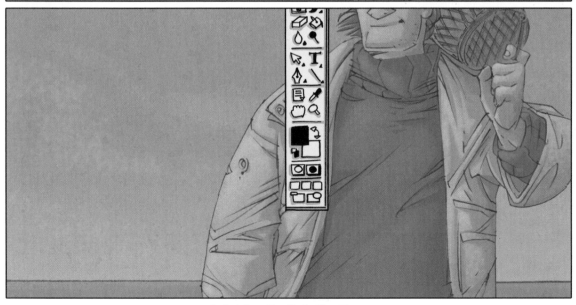

UN MES ANTES...

ADEMÁS HE LIMPIADO LA ARENA, AL CHICO Y LE HE AÑADIDO BRILLOS Y REFLEJOS AL AGUA.

EL AGUA QUE SEA MÁS CLARA. ES DEMASIADO TURBIA.

ESO SE VA A NOTAR...

DAVID, CREO QUE MONTSE TIENE RAZÓN. ADEMÁS, AQUÍ LAS AGUAS SON MÁS OSCURAS.

HAY MUCHAS NUBES Y TAMIZAN LA LUZ...

QUITA NUBES.

SI ELIMINO NUBES... TENDRÉ QUE SUBIR LA LUZ.

HAZLO.

VALE, PERO VA A PARECER EL CARIBE.

MEJOR.

SI ME PERMITE, PRESIDENTE, LE RECOMIENDO LA LUBINA EN HOJALDRE.

DOS LUBINAS EN HOJALDRE.

CUÉNTEME EN QUÉ VA A CONSISTIR ESA CAMPAÑA.

SE TRATA DE DAR POR TERMINADA LA CRISIS, EL ESLOGAN ES: "LA CUENTA ATRÁS HA TERMINADO... ESTAMOS DE NUEVO EN MARCHA". DENTRO DE UN MES Y MEDIO ESTARÁ LISTA, PARA SALIR JUSTO UN AÑO DESPUÉS DEL ACCIDENTE DEL PETROLERO.

CLARO, CLARO...

QUE SEA EN UN MES.

ASÍ DARÁ LA SENSACIÓN DE QUE HEMOS SOLUCIONADO EL PROBLEMA EN MENOS DE UN AÑO.

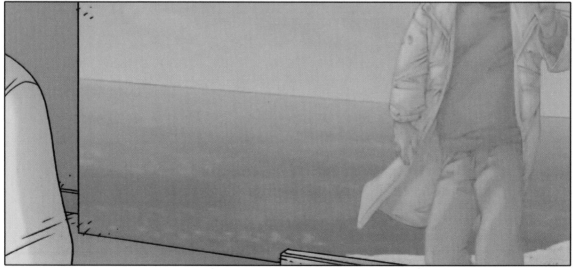

UN MES ANTES...

LA FOTO

¡ALICIA! HAY QUE HACER ALGO CON ESAS SARDINAS...

SON XOUBAS...

LO QUE SEA... NO BRILLAN, ¿VES?

¿Y QUÉ QUIERES QUE HAGA? SON FRESCAS...

PUES EL PESCADO TIENE QUE BRILLAR.

SI OS PARECE, LAS BARNIZAMOS.

¿TENÉIS BARNIZ?

EL PASILLO DEL MEDIO, AL FONDO, CON EL BRICOLAJE.

VAYA CON TU MARIDO, ESTÁ HECHO UNA ESTRELLA.

CUALQUIER DÍA LO VEMOS PRESENTANDO EL TELEDIARIO.

84 CON 15.

NO ME LLEGA... ESPERA, QUE...

DA IGUAL, MUJER. YA PAGARÁS...

EMILIO... EL BAR ESE, ¿ESTÁ MUY LEJOS?

¿LA CAMPAÑA DE MASCO? AHORA LA LLEVA DA SILVA.

NO FASTIDIES. ESE TÍO ES UN CHAPUCERO...

PERO PAGA BIEN, ¿NO?

SUPONGO.

VOY UN MOMENTO AL BAÑO...

PUES SI PAGA BIEN, A MÍ YA ME VALE. ESTOY HARTA DE GENIOS QUE A FIN DE MES SE OLVIDAN DE ENVIARTE EL CHEQUE.

¡COÑO, EMILIO! VAYA PESCALA DE ESTA TARDE, ¿EH? HACÍA TIEMPO QUE NO VEÍA COSA IGUAL...

UN MES ANTES...

EN CASA NO SE GANA EL SUELDO.

Y FUERA TAMPOCO. ESTO ES LA RUINA DE TODOS. ¿O NO, PACO?

SERÁ...

...PERO AQUÍ DEBEN LOS DE SIEMPRE. CON MAREA NEGRA O SIN ELLA.

¿TODO? 7,50.

JODER CON LAS PLAÑIDERAS DE LOS HUEVOS... A LA HORA DE COBRAR LAS INDEMNIZACIONES, BIEN QUE REÍAIS, CARAJO.

HOMBRE, NO...

ROGELIO... ¿TÚ CUÁNTO COBRASTE?

¿Y A TI QUÉ TE IMPORTA...?

VENGA, HOMBRE...

TCH. TRES KILOS.

¡COÑO!

YA PODÍA VENIR UNA ASÍ TODOS LOS AÑOS, ¿EH?

SÍ, MUCHA INDEMNIZACIÓN, PERO LA MITAD DEL PUEBLO SE HA QUEDADO EN EL PARO. Y LAS INDEMNIZACIONES NO VAN A DURAR SIEMPRE...

¡TRES KILOS! COÑO, TRES KIIIILOS...

JODER, ROGELIO, HAY QUE TENER CABEZA. ¡CABECITA!

QUE A MÍ ME HAN DADO EL DINERO, PERO LO HE GASTADO EN EL PUEBLO, QUE ES DONDE HAY QUE GASTARLO, ¿O NO?

PUES A MÍ ME DIERON MENOS... Y YO SOY MARINERO. ¿CÓMO SE EXPLICA?

MIRA, LUKI... A CADA UNO LE DAN LO QUE LE DAN.

EL CASO ES QUE HAY QUE INVERTIR, PENSAR EN EL FUTURO. MIRA LO QUE HE HECHO YO...

NO TE PASES, QUE HAS MONTADO UN SUPERMERCADO Y YA TE CREES AMANCIO ORTEGA.

EL 14...

¿QUÉ PASA? ¿NADIE TIENE EL 14?

TENGO EL 14...

¡SUSO! ¡CANTA BINGO!

NOM-BRE...

JESÚS PENA MARTÍNEZ.

¡¡AN-THONIO!! ¡UN AUTÓGRA-FO, ANTHO-NIO!

¡GUA-PO!

MENUDA TOMADURA DE PE-LO.

PAGAN BIEN.

YA PUE-DEN...

¡HOSTIA! ¡1.500 EUROS POR UNA FOTO! NO LOS GANO YO TODOS LOS DÍAS...

BAH... MENUDA PAYASA-DA...

LO SIENTO, JESÚS. NO SE CORRESPONDE CON EL PERFIL QUE ESTAMOS BUSCANDO.

¡OOOH!

¡HAY QUE JODERSE! ¡20 AÑOS YENDO AL MAR, PARA QUE AHO-RA ME DIGAN QUE NO PAREZCO UN MARINERO!

¡DI QUE SÍ!

EL 15...

NOM-BRE.

EMILIO GONZÁLEZ PIÑEIRO.

PERO NO SOLO LA FAMILIA REAL DISFRUTA DEL BUEN TIEMPO.

POLÍTICOS, DEPORTISTAS Y LA LLAMADA JET SET SE HAN DEJADO VER ESTOS DÍAS POR NUESTRAS COSTAS.

¡SARA! ¿ESTÁS AHÍ?

SOL, TRANQUILIDAD Y GASTRONOMÍA SON LOS PRINCIPALES RECLAMOS PARA ESTE TIPO DE TURISMO, HABITUAL DE LA PRENSA DEL CORAZÓN.

INFORMA DESDE PORTOLOURO NUESTRO COMPAÑERO, ELIGIO MARTÍN.

VOLUME

¡SARA! ¿ESTÁS AHÍ?

¡SARA...!

¿QUÉ HACES...?

SARA, TE VAS A HACER DAÑO.

¡DEJA ESO!

TE LO DIJE...

¡DÉJAME!

PERO ¿QUÉ TE PASA?

¡QUE ME DEJES!

A VER... ¿QUÉ TE PASA AHORA?

¿QUÉ TE DIJE? ¡TE DIJE QUE LOS QUITASES DE AQUÍ!

¿Y QUÉ QUIERES? ¿QUE LOS TIRE?

HAZ LO QUE TE DÉ LA GANA, PERO NO LOS QUIERO AQUÍ.

SA-RA...

ME PONGO ENFERMA SOLO DE VERLOS.

¡MIER-DA...!

ESTA SEMANA
NO HAY LIGA...
¿QUÉ JUEGA?
¿LA SELEC-
CIÓN?

SOLO TE LOS
DEJO HASTA QUE
TERMINE DE PIN-
TAR EL GARAJE,
EN SERIO.

DA IGUAL.
POR AQUÍ YA
NO VIENE
NADIE.

BUENO,
SI PEPE
TE DICE
ALGO...

A PEPE QUE LE DEN POR EL CU- LO.

LO DE- JO. ME VOY.

¿EN SE- RIO?

ESTE SITIO ES UNA MIERDA. ES COMO LO DEL FÚTBOL. ¿RECUER- DAS LO DE LOS AVALES?

¿CUANDO ESTUVIERON A PUNTO DE BAJAR A SE- GUNDA A VA- RIOS EQUI- POS?

SÍ...

TODO EL MUNDO SALIÓ A LA CA- LLE A PRO- TESTAR.

LA GENTE ESTABA FURIOSA, ¿EH?

NO EM- PIECES CON ESO OTRA VEZ...

MENUDOS GILIPO- LLAS. TENEMOS LO QUE NOS MERE- CEMOS.

CUANDO LA MAREA NEGRA, TAMBIÉN PRO- TESTAMOS.

¿Y PARA QUÉ? ¿PARA ENVAINÁRNOSLA DESPUÉS? PORQUE GANAR, GANARON LOS DE SIEMPRE... ¿O QUÉ? NOS DAN CUATRO EUROS Y AQUÍ SE BAJA LOS PAN- TALONES TODO CRISTO.

ALGUNOS TENEMOS FAMILIA... Y TAMPOCO FUE- RON CUATRO EUROS.

TCH, NOS DAN POR CU- LO Y AÚN LES DAMOS LAS GRACIAS.

¿SABES? HACEN BIEN EN JODER- NOS.

PARECE QUE LO QUE NOS GUSTA ES SUFRIR.

NO SEAS TAN PESIMISTA.

PENSÉ QUE LO QUE HABÍA PASADO IBA A CAMBIAR A LA GENTE... FUE ALGO IMPORTANTE, PERO... YA VES.

QUÉ VA... NO ES PESIMISMO.

EL PROBLEMA ES QUE A MÍ LO QUE HA PASADO ME HA CAMBIADO Y NO PUEDO VOLVER A LO DE ANTES COMO SI NO HUBIERA PASADO NADA.

ME LARGO.

PARA MÍ, ESTE PUEBLO MURIÓ.

NO DEJES QUE EL MAR MUERA!

UN MES ANTES...

EL REPORTAJE

LO HE DEJADO.

YO ESTOY CON LOS PARCHES, PERO NI CON ESAS...

SIÉNTATE.

¿LO HAS LEÍDO? EL REPORTAJE SOBRE CALDELAS, DIGO...

AHORA MISMO.

YA SÉ QUE ES UN POCO AGRESIVO Y QUE METE BASTANTE CAÑA AL GOBIERNO, PERO...

ES BUENO.

¿EN SERIO?

ES MUY BUENO. DE LO MEJOR QUE HAS HECHO.

TENÍA MIEDO DE QUE OS ASUSTASEIS.

SOMOS UN PERIÓDICO INDEPENDIENTE. VIVIMOS DE LA PUBLICIDAD, NO DE LAS SUBVENCIONES.

YA, PERO...

NADIE VA A PROTESTAR POR ESTO. SE LO MERECEN. SU GESTIÓN DE LA MAREA NEGRA HA SIDO VERGONZOSA.

VOY A INTENTAR QUE LO PUBLIQUEN EL DOMINGO. LA TIRADA SE DUPLICA.

DE HECHO, ESTOY PENSANDO EN HACER UN CUADERNILLO. ESO SÍ, NECESITARÍA DOS PÁGINAS MÁS.

NO HAY PROBLEMA. TENGO MATERIAL DE SOBRA.

SALVADOR ES NUESTRO NUEVO SUBDIRECTOR, AUNQUE LLEVA AÑOS TRABAJANDO EN EL PERIÓDICO.

ENCANTADO. Y ENHORABUENA POR EL ASCENSO.

GRACIAS.

SU CARA ME SUENA. SEGURO QUE HEMOS COINCIDIDO EN ALGUNA RUEDA DE PRENSA O ALGO...

PUEDE.

VA A SER MEJOR QUE NOS SENTEMOS. EL CHICO ESTÁ ESPERANDO PARA TOMAR NOTA.

RESTAURANT CASA

SI NUNCA HABÉIS COMIDO AQUÍ, OS RECOMIENDO LA LUBINA AL HOJALDRE.

YO ME FÍO.

PUES ENTONCES, LUBINA PARA TODOS.

DE BEBER, ¿UN MARTÍN CÓDAX?

46

QUE NO TE PAREZCA MAL, PERO ERES EL ÚNICO QUE HA SACADO PROVECHO DE TODO ESTO.

SE RUMOREA QUE TE VAN A OFRECER LA VICEPRESIDENCIA.

POR SUPUESTO, ESTOY AL SERVICIO DEL PARTIDO Y DE DON JOSÉ. HOMBRE, CONTENTOS CON LA GESTIÓN DEL ASUNTO DEL PETROLERO ESTÁN...

TONTE-RÍAS...

POR SUPUES-TO.

...PERO NADIE QUERÍA LIDIAR CON LA MAREA NEGRA. HA SIDO UNA CATÁSTROFE Y ME ENORGULLECE HABER COLABORADO EN REDUCIR SU IMPACTO. CREO QUE LO HE-MOS HECHO BASTANTE BIEN DADO LO COMPLICADO QUE ERA.

PERO LO IMPOR-TANTE AHORA ES LA CAMPAÑA. DE ESO HEMOS VE-NIDO A HABLAR, ¿NO?

HERRERO, TÚ Y YO NOS CONOCEMOS DESDE HACE... ¿CUÁNTO? ¿20 AÑOS?

POR AHÍ.

HEMOS TENIDO NUESTRAS DIFEREN-CIAS. Y ADMITO QUE NO ESTOY MUY DE ACUERDO CON EL MODO EN QUE HABÉIS LLEVADO ESTE TEMA...

PERO, HOMBRE, LA INVERSIÓN A NIVEL PUBLICI-TARIO VA A SER MUY GORDA Y ME PARECERÍA INJUSTO DEJA-ROS FUERA.

CUALQUIERA PODRÍA PENSAR QUE LO QUE IN-TENTA ES TAPAR-NOS LA BOCA.

CUALQUIERA NO.

SOLO ALGUIEN MUY RETORCIDO.

A PESAR DE LA MAREA NEGRA Y DEL ACOSO DE LA PRENSA, NOSOTROS HEMOS VUELTO A GANAR LAS ELECCIONES POR UNA AMPLIA MAYORÍA. LA GENTE APOYA NUESTRA GESTIÓN Y CREE EN NOSOTROS.

AHORA, SI VOSOTROS OS EMPEÑÁIS EN IR CONTRA LA GENTE, ALLÁ VOSOTROS.

¿ESTÁ A SU GUSTO?

MUY BUENA, GRACIAS.

ENTIÉNDEME, SALVADOR...

YO SOY UN FIRME DEFENSOR DE LA LIBERTAD DE PRENSA... HASTA SUS ÚLTIMAS CONSECUENCIAS.

Y SI DE VERDAD CREÉIS QUE LO ESTAMOS HACIENDO TAN MAL Y QUE ESE TONO CATASTROFISTA ES EL ADECUADO, ENTONCES ADELANTE. EN SERIO.

ESTO ES UNA DEMOCRACIA.

NOS ESTAMOS DESVIANDO DE...

SALVADOR, LO QUE NOSOTROS NO PODEMOS HACER ES LANZAR UNA CAMPAÑA INFORMANDO SOBRE LA RECUPERACIÓN DEL MAR EN UN MEDIO DE COMUNICACIÓN QUE OPINA TODO LO CONTRARIO.

SERÍA ABSURDO... Y POCO PRÁCTICO.

ENTIENDO.

¡FSH!

Y HABLANDO DEL MAR...

...TENÍAS RAZÓN: ESA LUBINA ERA UNA MARAVILLA.

NO NOS PUEDEN DEJAR FUERA AUNQUE QUIERAN...

SI ES UNA CAMPAÑA INSTITUCIONAL, ¿NO ESTÁN OBLIGADOS POR LEY A DIFUNDIRLA EN TODOS LOS MEDIOS?

PUEDEN HACER SOLO UNA CAMPAÑA EN TELEVISIÓN O ENVIAR FOLLETOS A TODAS LAS CASAS...

...HAY VARIAS FÓRMULAS...

MOLINA LLEVA MESES TRABAJANDO EN ESTE TEMA, ¿NO ES ASÍ?

HA HECHO UN BUEN TRABAJO.

LO PENSARÉ, ¿DE ACUERDO?

APAREJOS DE PESCA HIPOCAMPO

OFERTA

BUENO, PUES ME PAGAS LA MITAD Y YA ESTÁ...

¿Y A QUIÉN SE LOS VENDO, EH?

¿VES MUCHOS CLIENTES POR AQUÍ ÚLTIMAMENTE?

ESTÁN NUEVOS.

YA LO SÉ, HOMBRE.

Y ME JODE DECIRTE QUE NO, PERO ES QUE YO TAMBIÉN ANDO MAL DE CUARTOS.

ES LA
TERCERA
CERVE-
ZA.

¿QUÉ
PASA? ¿AHORA
LLEVAS LA
CUENTA?

SÍ, POR-QUE TÚ NUNCA...

...NADA.

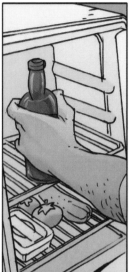

Y ESTOY HARTA DE DECIRTE QUE SAQUES TO-DA ESA BASURA DEL GARAJE.

NO ES BASURA.

INTENTÉ VENDÉRSE-LOS A ROGELIO, PERO NO LOS QUIERE.

PARECE QUE LAS CO-SAS TAMPO-CO LE VAN BIEN.

POR MÍ, HAZ LO QUE TE DÉ LA GANA, PERO SACA ESO DE AHÍ.

MAÑANA.

CLIC

SARA, LAS COSAS PODRÍAN HABER IDO PEOR. POR LO MENOS TENEMOS LA SUBVEN-CIÓN...

Y CUANDO SE ACABE LA SUBVENCIÓN, ¿QUÉ?

YA SÉ A QUÉ VIENES.

DIJISTE QUE SALDRÍA EL DOMINGO.

LO PENSÉ MEJOR. TENÍA QUE HABERTE LLAMADO, PERO LA NIÑA SE PUSO ENFERMA Y, BUENO...

SIÉNTATE.

¿CUÁNDO LO VAS A PONER?

NO ME RESULTA FÁCIL DECIRTE ESTO. HAS HECHO UN GRAN TRABAJO, DE VERDAD, PERO...

¡ES INCREÍBLE! ¿¡NO LO VAIS A PUBLICAR!?

...PERO HA PERDIDO ACTUALIDAD, Y PUEDE SER QUE NO LO SEPAS, PERO LAS VENTAS EN ZONA DE COSTA HAN BAJADO CONSIDERABLEMENTE Y...

MIRA, SI RESULTA DEMASIADO CRÍTICO CON EL GOBIERNO, PUEDO REBAJARLE EL TONO.

NO, NO ES ESO...

PUEDES ENFOCARLO DESDE OTRO...

QUE NO ES ESO, JODER.

SIMPLEMENTE, NO VAMOS A PUBLICAR NADA MÁS SOBRE LA MAREA NEGRA.

ES UN TEMA DEL PASADO Y AHORA TENEMOS QUE CENTRARNOS EN LA ACTUALIDAD.

¿ME ESTÁS TOMANDO EL PELO?

LLEVO MUCHOS AÑOS AQUÍ Y SÉ CÓMO FUNCIONAN LAS COSAS.

¿CON QUÉ NOS HAN TAPADO LA BOCA ESTA VEZ?

¿CON PUBLICIDAD?

¿QUÉ ES ESTO?

NADA. AL MENOS TODAVÍA.

PERO EN UN PAR DE MESES, SERÁ UN NUEVO SUPLEMENTO DE VIAJES.

QUERÍAS SABER EL PRECIO, ¿NO? PUES AQUÍ LO TIENES.

DEBERÍA DARTE VERGÜENZA.

SÍ, SUPONGO...

PERO LA EMPRESA ESTÁ BARAJANDO UNA REDUCCIÓN DE PLANTILLA. Y GRACIAS A ESTE SUPLEMENTO EVITO QUE CINCO COMPAÑEROS SE QUEDEN EN LA CALLE.

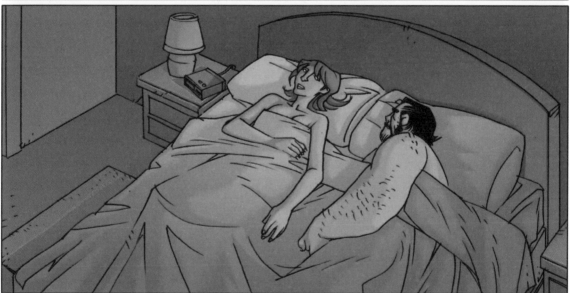

TRAS CASI DOS HORAS DE CONVERSACIONES, AMBOS REPRESENTANTES COMPARTIERON PRESENCIA EN UNA RUEDA DE PRENSA...

...DONDE EXPRESARON SU MUTUA VOLUNTAD DE COOPERACIÓN.

¿TE ENCUENTRAS MAL?

NO... ¿POR QUÉ?

ESTÁS MUY CALLADA. Y NO ES QUE ME QUEJE, PERO ANTES, EN LA CAMA...

...BUENO, NO ERAS LA DE SIEMPRE.

PUEDE SER...

A VER...

¿QUÉ PASA? ¿NO TE GUSTA EL PISO?

NO... NO ES ESO... EL PISO ES PRECIOSO...

ENTONCES, ¿QUÉ?

NADA...

SI ES POR LO DE MI MUJER, YA SABES QUE NO PUEDO DIVORCIARME. POR LO MENOS HASTA QUE LOS NIÑOS CREZCAN...

QUE NO ES ESO. SON COSAS DE TRABAJO.

¿TRABA-JO? ¿QUÉ LE PASA A TU TRABA-JO?

NO SÉ... ESTOY HARTA DE SER RE-DACTORA. TÚ SABES LO MUCHO QUE ME HE ESFORZA-DO...

Y MIRA A ÁLVARO... ME PONE ENFERMA. ÉL FUE UNO DE LOS QUE MÁS PROBLEMAS CAUSÓ DURANTE LA MAREA NE-GRA Y AHÍ LO TIENES, HACIENDO PANTALLA.

QUIERES PRESEN-TAR...

CREO QUE ME LO MEREZCO. Y LO HARÍA BIEN...

BUENO, MAÑANA HARÉ UN PAR DE LLAMADAS Y A VER QUÉ SE PUE-DE HACER. ¿VALE?

TE QUIE-RO.

UN MES ANTES...

ESPERA, AHORA VUELVO.

¿QUÉ HAY?

ESTOY PREPARANDO UN ESPECIAL PARA EL PERIÓDICO Y QUERÍA HACERTE UNA ENTREVISTA.

¿ES ESTA?

ESPERA UN MOMENTO, HOMBRE...

ENSE-GUIDA ESTOY CONTIGO.

A VER, ¿QUÉ QUIERES SABER?

GRAN SOL

CALDELAS ES UNO DE LOS PUEBLOS MÁS AFECTADOS POR LA MA-REA NEGRA, Y LO QUE AQUÍ SUCEDA TIENE UN VALOR SIMBÓLICO. ¿QUIÉN CREES QUE VA A GA-NAR LAS ELEC-CIONES?

GRA-CIAS.

NO SÉ, ESTÁ DIFÍCIL, PERO... DESPUÉS DE TODO LO QUE HA PASADO, ESTOY SEGURO DE QUE EL GOBIERNO, ESTA VEZ, VA A PERDER.

¿CREES QUE EL HECHO DE QUE YA SE HAYAN COMENZADO A DIS-TRIBUIR LAS AYUDAS PUEDE ALTERAR LA INTENCIÓN DE VOTO?

HOM-BRE, ESO INFLUYE, CLARO...

OL

...PERO LA GENTE NO ES TONTA Y LOS MARINEROS NO SE VAN A DEJAR COMPRAR POR UNAS LIMOSNAS.

SEGÚN MIS DATOS...

...EN ALGUNOS CASOS EL MONTANTE DE LAS AYUDAS ES CASI EL EQUIVALENTE A UNA CAMPAÑA EN EL MAR.

UNA LIMOSNA CARA...

PAN PARA HOY, HAMBRE PARA MAÑANA.

MIRA, DE LO QUE LA GENTE NO SE VA A OLVIDAR ES DE QUE, CUANDO EL PETROLERO EMPEZÓ A ECHAR MIERDA, PASARON DE TODO.

PRIMERO DECÍAN QUE NO ERA UN PROBLEMA...

"...QUE ESTABA TODO CONTROLADO, QUE NO IBA A LLEGAR A LA COSTA."

...Y JODER SI LLEGÓ.

ESO ES CIERTO, PERO LA CUESTIÓN ES QUÉ HACES ANTE UNA SITUACIÓN ASÍ...

PARTE DEL PROBLEMA ES QUE NO EXISTE UN PLAN PARA AFRONTAR UNA CATÁSTROFE ECOLÓGICA.

¿Y QUÉ PASA? ¿ES LA PRIMERA VEZ QUE OCURRE, O QUÉ?

NO... YA HUBO UN PAR ANTES...

PUES ENTONCES PEOR ME LO PONES. LO PRIMERO QUE TENÍAN QUE HABER HECHO ERA NO MENTIR.

INTENTAR SOLUCIONAR EL PROBLEMA Y, DESPUÉS, YA SE VERÁ DE QUIÉN ES LA CULPA.

AQUÍ LO HA HECHO TODO LA GENTE: LOS DE AQUÍ Y LOS DE FUERA.

EL GOBIERNO MINTIÓ, REACCIONÓ TARDE Y, SÍ, AHORA A METER DINERO PARA CALLARLE LA BOCA A LA GENTE PORQUE LAS ELECCIONES ESTÁN ENCIMA.

¿QUÉ OPINAS DE QUE EN EL ÚLTIMO MES SE HAYAN TRIPLICADO LAS VENTAS DE COCHES EN LA ZONA?

ESO SON CUATRO DESCEREBRADOS. EL PUEBLO HA QUEDADO MUY TOCADO DE DIOS, Y AUNQUE EL MAR SE LIMPIE, HABRÁ QUE VER SI SE RECUPERA LA PESCA.

"LA GENTE NO ES TONTA Y ESO SE VA A VER EN LAS ELECCIONES."

ESTE SÍ QUE ME GUSTA A MÍ.

PARA QUE TE ALCANCE PARA ESE NECESITABAS TRES PETROLEROS.

¿Y TÚ, EMILIO, QUÉ?

NO SÉ.

A VER, QUÉ NO SABES, HOMBRE.

METER EL DINERO DE LAS AYUDAS EN UN COCHE... A LO MEJOR LA COSA SE COMPLICA Y LUEGO...

QUÉ SE VA A COMPLICAR. SI EN LA VIDA SE VIO SEMEJANTE RIADA DE DINERO EN EL PUEBLO.

¡Y SI SE COMPLICA, QUE MANDEN MÁS, JE, JE...!

¿QUÉ? TE GUSTA...

SÍ, PERO AÚN PUEDO TIRAR UN AÑO MÁS CON EL COCHE QUE TENGO.

POR UNA VEZ QUE TE DES UN HOMENAJE DESPUÉS DE TODAS LAS QUE LLEVAMOS PASADAS TAMPOCO VA A PASAR NADA...

MATEO, VEN. MIRA ESTE...

¿TODO BIEN?

PARECE QUE VINO GENTE.

DE ESTA VA, YA VERÁS.

PERDONAD, TENGO QUE SUBIR.

MIRA TÚ, MONCHIÑO DANDO MÍTINES. QUIÉN SE LO IBA A DECIR.

¿DÓNDE ESTABA EL ALCALDE CUANDO LAS PLAYAS ESTABAN LLENAS DE CHAPAPOTE? ¿DÓNDE, EH?

LIMPIANDO DESDE LUEGO NO. ESTABA INAUGURANDO OTRA VEZ EL GALPÓN DE LA COFRADÍA...

CUANDO VAYÁIS A VOTAR ACORDAOS DE QUE ÉL Y LOS DE SU PARTIDO FUERON LOS QUE DIJERON QUE ESTO NO ERA NADA, ¡SOLO UNA MANCHA...!

Y AHORA VIENEN A REPARTIR EMPANADA COMO SI NO HUBIERA PASADO NADA.

¿¡QUÉ LE PASA A LA EMPANADA!?

DEJA OÍR, SUSO.

SI SE CREEN QUE NOS VAN A COMPRAR CON UN TROZO DE EMPANADA LO TIENEN CLARO.

¿SABÉIS LO QUE OS DIGO? QUE SE METAN LA EMPANADA POR EL CULO.

TAMBIÉN ESTOS PROTESTAN POR TODO. QUE SI LAS AYUDAS NO LLEGAN, QUE SI DAN EMPANA-DA... ¡ES QUE NO HAY NADA QUE LES VALGA!

SÍ, SÍ, MUCHO APLAUSO, PERO...

...SI EN VEZ DE TANTO ROCK DIERAN ALGO DE COMER SEGURO QUE LES IBA MEJOR...

SUSO...

LO QUE QUIERAS, PERO LOS OTROS SÍ QUE SABEN ORGANIZAR LAS VERBENAS.

SOLO OS DIGO UNA COSA...

QUE CUANDO VAYÁIS A VOTAR TENGÁIS PRESENTE QUIÉN SE PREOCUPÓ POR EL PUEBLO.

¡FUIMOS NOSOTROS LOS QUE LIMPIAMOS LA PLAYA NO ELLOS!

ESTOY EN DEUDA CON USTED POR LO QUE HIZO POR MÍ EL DÍA DE LA INAUGURACIÓN DE LA NUEVA COFRADÍA.

CREO QUE ERA LO CORRECTO.

ES UNA MUJER VALIENTE.

SOLO INTENTO HACER BIEN MI TRABAJO... Y TRÁTEME DE TÚ.

TÚ TAMBIÉN, POR FAVOR.

EN LOS MOMENTOS DE CRISIS COMO AHORA ES CUANDO SE VE LA VERDADERA NATURALEZA DE LA GENTE.

CREO QUE LLEGARÁS MUY LEJOS.

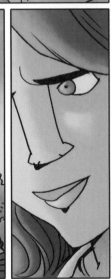

CUANDO QUIERAS.

BUENO, VAMOS ALLÁ.

¿CUÁN-TO?

TODO NO.

¿GASTASTE TODO EL DINERO DE LA AYUDA EN ESTO?

UN POCO MÁS DE LA MITAD.

DIOS MÍO, EMILIO...

NO TE PREOCUPES, LA PUEDO DEVOL-VER.

ES IGUAL. DÉJALO, AHORA YA ESTÁ.

TAMBIÉN ES LA ÚNICA ALEGRÍA QUE HEMOS TENIDO EN ESTOS MESES.

A VER SI CAMBIA ALGO CON LAS ELECCIONES.

QUÉ VA A CAMBIAR...

AQUÍ NO CAMBIA NADA ASÍ CAIGA UN METEORITO Y NOS PARTA EN DOS.

VAN A GANAR LOS DE SIEMPRE, Y SI NO LOS VOTAS, A VER CON QUÉ CARA VAS A IR DESPUÉS A PEDIRLES UN FAVOR.

ESE ES EL PROBLEMA, QUE VIVIMOS DE FAVORES EN VEZ DE EXIGIR LO QUE ES NUESTRO.

PALABRAS...
TÚ VOTA A QUIEN
QUIERAS, PERO DEBE-
RÍAMOS HABER IDO A LA
ROMERÍA DEL ALCALDE,
AUNQUE SOLO FUESE
PARA QUE NOS VIESE
Y NO PIENSE
MAL.

RAMÓN
AGRA
MANCEBO.

NO
PUEDE
VOTAR.

¿CÓMO
QUE NO
PUEDO
VOTAR?

TIENE
EL CARNÉ
CADUCA-
DO.

¡NO ME
JODAS!

PERO
SI ES DES-
DE HACE UN
MES NADA
MÁS.

LO SIENTO,
PERO CON
EL CARNÉ CA-
DUCADO NO
SE PUEDE
VOTAR.

OCHO Y DOS MINUTOS DE LA TARDE. A ESTA HORA SE HAN CERRADO YA TODOS LOS COLEGIOS ELECTORALES Y, EN BREVE, PODREMOS OFRECERLES LOS DATOS DEL ESCRUTINIO DE LAS 50 PRIMERAS PAPELETAS.

PARA ANALIZAR LOS RESULTADOS CONTAMOS ESTA NOCHE CON DON JOAQUÍN LEMA, DECANO DE LA FACULTAD DE CIENCIAS POLÍTICAS.

BUENAS NOCHES.

SEÑOR LEMA, ¿CREE QUE SE CUMPLIRÁN LAS ENCUESTAS QUE ANUNCIAN UN IMPORTANTE RETROCESO DEL PARTIDO EN EL GOBIERNO?

HAY QUE SER CAUTELOSOS, PORQUE EN UNAS ELECCIONES LOCALES COMO ESTAS, LA INTENCIÓN DE VOTO SE MUEVE DE ACUERDO A INTERESES NO NECESARIAMENTE COINCIDENTES CON LOS DE LA POLÍTICA GENERAL.

ME DICEN QUE TENEMOS YA ESOS PRIMEROS DATOS...

...QUE, CONTRARIAMENTE A LO QUE AUGURABAN LAS ENCUESTAS, DARÍAN AL GOBIERNO LA MAYORÍA DE LOS AYUNTAMIENTOS EN LAS ZONAS COSTERAS.

VAMOS A HACER UNA RONDA POR LAS SEDES DE LOS PRINCIPALES PARTIDOS, COMENZANDO POR EL PARTIDO DEL GOBIERNO.

SONIA SAAVEDRA...

YA SABES EL DICHO: QUE LA REALIDAD NO TE ESTROPEE UN BUEN ENCUADRE.

ESTO YA ESTÁ. ¿VAMOS?

DISCULPE....

AH, HOLA. ¿SÍ?

ME HA DICHO EL SEÑOR OTERO QUE LE GUSTARÍA CONCEDERLE UNA ENTREVISTA CUANDO TERMINE LA JORNADA.

¿HOY?

¿LE VIENE MAL?

QUÉ VA, AL CONTRARIO.

ESTÁ EN EL HOTEL DEL CAMINO.

AH, VALE. GRACIAS, ALLÍ ESTAREMOS.

PERDONE....

ESTÁ MUY CANSADO Y PREFIERE QUE SEA SIN CÁMARAS. COMO COMPRENDERÁ, NO TIENE LA MEJOR CARA PARA SALIR EN TELEVISIÓN.

YA SABE CÓMO SON LOS POLÍTICOS...

"HOLA... ¿CÓMO VAN...?"

"HAN VUELTO A GANAR."

¿EN CALDELAS TAMBIÉN?

TAMBIÉN.

¿ESTA GENTE ES GILIPOLLAS O QUÉ? ¿Y PARA ESO FUIMOS ALLÍ A LIMPIAR LAS PLAYAS?

YA TE DIJE YO QUE NO SE TE PERDÍA NADA ALLÍ...

LO QUE HICISTE ESTUVO BIEN. NO TIENE NADA QUE VER CON ESTO.

SÍ QUE TIENE QUE VER, PAPÁ.

NO ENTIENDO CÓMO, CON TODO LO QUE HA PASADO, LOS SIGUEN VOTANDO...

LA PRÓXIMA VEZ QUE LO LIMPIEN ELLOS.

¿EL SEÑOR OTE-RO...?

HABITA-CIÓN 427.

PASA, MUJER, ESPE-RO QUE NO TE HAYA EXTRAÑADO MUCHO EL AVISO.

PUES...

SEGUIMOS ANALIZANDO LOS RESULTADOS DE UNAS ELECCIO-NES...

...UN POCO, SÍ.

ES UN POCO TARDE, Y UNA ENTREVISTA SIN EL CÁMARA...

...EN LA QUE LOS CIUDADANOS, CONTRA TODO PRONÓSTICO, HAN VUELTO A DAR LA MAYORÍA DE LOS AYUNTAMIENTOS AL PARTIDO DEL GOBIERNO.

SEÑOR LEMA, ¿A QUÉ CREE QUE SE DEBE ESTE RESULTADO?

¿QUIERES TOMAR UNA COPA?

BIEN, ES OBVIO QUE, CON EL 92% ESCRUTADO, A ANUNCIADA DEBACLE DEL GOBIERNO NO SE HA PRODUCIDO.

¿A QUÉ PODEMOS ATRIBUIR ESE RESULTADO?

...PARA CELEBRAR EL TRIUNFO, POR SUPUESTO.

NO, GRACIAS. AHORA NO ME APETECE.

ES OBVIO QUE UNAS ELECCIONES LOCALES NO SON UNAS GENERALES...

COMO QUIERAS.

...POR MUCHO QUE SE HAYA INTENTADO VER EN ELLAS UNA ANTESALA DE LAS QUE SE CELEBRARÁN EL AÑO PRÓXIMO.

ENTONCES ESTÁ CLARO QUE HOY NO VAMOS A HACER LA ENTREVISTA.

UN MES ANTES...

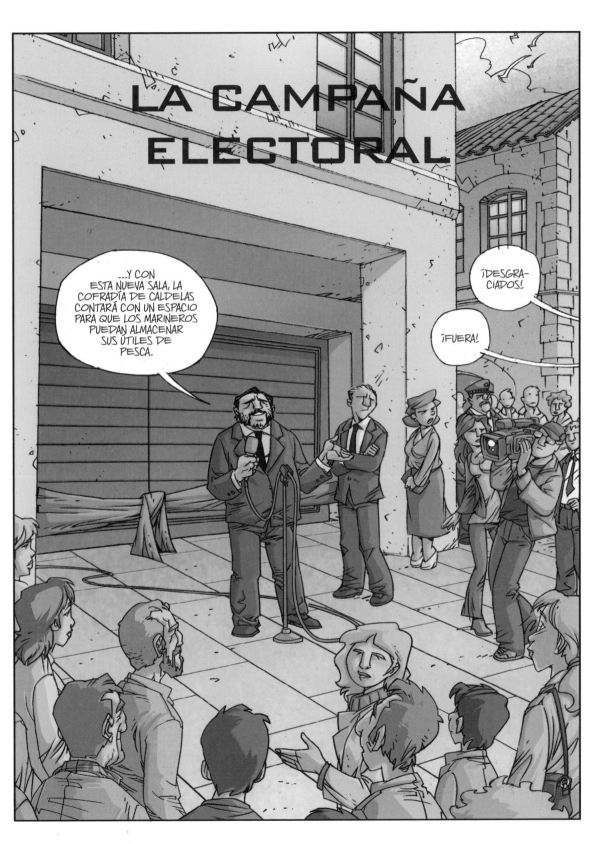

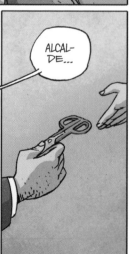

¡FIDEL! HAY QUE TENER CARA...

¿QUÉ PASA?

VIENEN A INAUGURAR ESE GALPÓN DE AHÍ, QUE LLEVA UN AÑO Y MEDIO ACABADO, PERO PRETENDEN VENDERLO COMO EL NUEVO ALMACÉN DE LA COFRADÍA...

¿QUÉ OS CREÉIS, QUE SOMOS TONTOS O QUÉ? ¡MUCHA CARA ES LO QUE TENÉIS!

¡SI ES QUE NI SIQUIERA EL SUELO ESTÁ TERMINADO, QUE PARARON LA OBRA A LOS DOS MESES DE EMPEZAR!

¡VENDIDOS!

¡A VER SI CONTÁIS LA VERDAD, DESGRACIADOS!

SACAD A ESTOS DE AQUÍ. ¡RÁPIDO!

¡SE ACABÓ! ¡TODO EL MUNDO FUERA!

¡DISPÉRSENSE!

¡SOIS UNOS HIJOS DE LA GRAN PUTA!

VENGA, MONCHO, VÁMONOS...

¡QUE VEAN LO QUE NOS HAN TRAÍDO! QUE ESTOS EL CHAPAPOTE SOLO LO HAN VISTO POR LA TELE.

CABRONES...

¿LO TIENES TODO?

CREO QUE SÍ, AUNQUE POR POCO ME JODEN LA CÁMARA.

TE LO DIJE... NO TENÍAS QUE HABERTE METIDO... ESA GENTE ES INCONTROLABLE.

DÉJALO, ES IGUAL. NO SALE.

UN MOMENTO, ESPERA...

¡QUE ME DEJES YA, HOMBRE!

PARA QUÉ COÑO ME METERÍA YO EN TODA ESTA MIERDA DE LA MAREA NEGRA...

DISCULPA...

NO PASA NADA. ¿QUIERES QUE VAYA A POR UNA CAMISA NUEVA?

DÉJATE DE CAMISAS. CONSIGUE LAS IMÁGENES O ESTOY JODIDO.

SÍ, CLARO.

BIEN... GRACIAS. CONFÍO EN USTED, SEÑORITA...

SONIA...

...SONIA SAAVEDRA.

LES METIMOS EL MIEDO EN EL CUERPO, ¿EH, MONCHO? TÚ VISTE LA CARA DE FIDEL. ¡ESTABA ACOJONADO!

ENCIMA DE QUE NO ESTÁN HACIENDO NADA, VIENEN A REÍRSE DE NOSOTROS EN LA CARA...

¡...AÚN DEBÍAN DE HABERSE LLEVADO UNAS HOSTIAS!

¿TÚ CREES QUE PERDERÁN LAS ELECCIONES?

SEGURO.

MIRA UNA COSA... ES LA PRIMERA VEZ QUE VEO A LA GENTE DEL PUEBLO UNIDA. TODO DIOS ESTÁ HASTA LOS COJONES. SE ACABÓ LA CACICADA.

LO QUE ESTÁ PASANDO AQUÍ ES MUCHO MÁS IMPORTANTE. MUCHO MÁS DE LO QUE NOS CREEMOS.

TODO EL PAÍS ESTÁ PENDIENTE DE ESTE PUEBLO, DE NOSOTROS...

YA, MONCHO, PERO AHORA LOS DEL GOBIERNO ESTÁN EMPEZANDO A MANDAR DINERO...

...HAY VARIOS MARINEROS A LOS QUE LES HA LLEGADO LA AYUDA.

¡SOLO FALTABA QUE NO ENVIARAN AYUDAS...! PERO NO... LO IMPORTANTE NO ES ESO...

LA SOLIDARIDAD DE LA GENTE, LOS VOLUNTARIOS...

LO DE LOS VOLUNTARIOS... ESO SÍ QUE HA SIDO IMPORTANTE.

AYUDAR, AYUDARON MUCHO. SÍ, SÍ...

MUCHO MÁS QUE ESO. LOS VOLUNTARIOS FUERON UNA HOSTIA EN LA CARA AL GOBIERNO.

Y AUNQUE AHORA QUIERAN VENDERLOS COMO SI FUERAN UNA ONG, LO DE LOS VOLUNTARIOS ERA PURA RABIA.

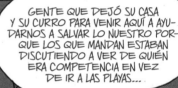

GENTE QUE DEJÓ SU CASA Y SU CURRO PARA VENIR AQUÍ A AYUDARNOS A SALVAR LO NUESTRO PORQUE LOS QUE MANDAN ESTABAN DISCUTIENDO A VER DE QUIÉN ERA COMPETENCIA EN VEZ DE IR A LAS PLAYAS...

..A ENSUCIARSE LAS MANOS.

¿ESTÁS SEGURA DE QUE NO TE QUIERES QUEDAR UNOS DÍAS MÁS?

VINE PARA UNA SEMANA Y LLEVO UN MES Y PICO... NO. NO PUEDO QUEDARME MÁS O PERDERÉ EL CURSO.

CLARO...

LA PLAYA ESTÁ CASI LIMPIA Y...

POR LO MENOS, LO GORDO.

ANNA, EH, QUE NADIE TE ESTÁ REPROCHAN- DO NADA.

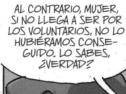

AL CONTRARIO, MUJER, SI NO LLEGA A SER POR LOS VOLUNTARIOS, NO LO HUBIÉRAMOS CONSE- GUIDO. LO SABES, ¿VERDAD?

SÍ...

LO QUE HA PASADO AQUÍ ES MUY IMPORTANTE...

HAY UN ANTES Y UN DESPUÉS.

HAY MUCHOS ANTES Y DESPUÉS, MONCHO...

...ESE ES EL PROBLEMA.

BUENO, TENGO QUE IRME.

¿NO ME VAS A DESEAR SUERTE EN LAS ELECCIONES?

ME DA QUE LA SUERTE NO TIENE MUCHO QUE VER CON ESO, PERO VALE...

...MUCHA SUERTE.

ESO NO LO VAMOS A METER.

¿POR QUÉ? ES LO MÁS POTENTE QUE TENEMOS.

ENCIMA DE QUE ME PEGARON, NO QUIERO DARLES PUBLICIDAD...

PUES METE SOLO LO DE OTERO.

NO.

¿POR QUÉ NO? ¿ENTONCES PARA QUÉ ME DIJISTE QUE GRABARA...?

NO SÉ...

¿Y LA FAMOSA AUTOCENSURA?

¿HAS OLVIDADO LO QUE PASÓ EN LA MANIFESTACIÓN HACE UN MES? PUES AQUÍ TIENES EL RESULTADO.

ESO FUE OTRA COSA...

PUES YO CREO QUE ES MÁS DE LO MISMO.

DESDE EL MOMENTO EN QUE LE PEGAS A LA GENTE, PIERDES LA RAZÓN.

SOLO LO DE LA INAUGURACIÓN Y LAS PROTESTAS DEL PRINCIPIO.

DALE PARA ATRÁS.

METE ESE PLANO DE LA GENTE GRITÁNDOLES Y TERMINAMOS.

CREO QUE TE EQUIVOCAS.

PUEDE, PERO LA REDACTORA SOY YO.

LISTO.

PONLA OTRA VEZ, POR FAVOR, QUIERO VERLA ENTERA.

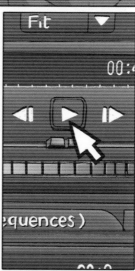

Fit

00:4

equences)

UN MES ANTES...

LAS PROTESTAS

LAS CIFRAS DE LAS ORGANIZACIONES CONVOCANTES PREVÉN UNA ASISTENCIA DE UNAS 100.000 PERSONAS...

...UNA CIFRA RÉCORD.

ESTOY SEGURO DE QUE LA PARTICIPACIÓN SERÁ ALTA, PERO NO HAY QUE OLVIDAR QUE SE TRATA DE UNA MANIFESTACIÓN CIUDADANA EN CONTRA DE LA CATÁSTROFE QUE SE HA PRODUCIDO EN NUESTRAS COSTAS...

BUENO, EL SEÑOR OTERO ES LÓGICO QUE DEFIENDA A LOS SUYOS, PERO CLARAMENTE ESTA MANIFESTACIÓN ES UNA PROTESTA CONTRA LA NEFASTA POLÍTICA QUE ESTÁ LLEVANDO A CABO SU GOBIERNO EN LA GESTIÓN DE ESTA CRISIS.

A ESO ME REFERÍA...

LO QUE SE SUPONE QUE DEBERÍA SER UNA MANIFESTACIÓN EN CONTRA DE QUE ESTE TIPO DE ACCIDENTES SE PRODUZCA, Y ASÍ SE ANUNCIÓ EN UN PRINCIPIO...

...ESTÁ SIENDO ORQUESTADA Y DIRIGIDA POR SECTORES RADICALES PARA CONVERTIRLA EN UNA PROTESTA CONTRA EL GOBIERNO.

HOMBRE, OTERO, POR FAVOR...

NO, NO, NO... FÍJESE SI SERÁ ASÍ, QUE NUESTRO PARTIDO QUERÍA SUMARSE A LA PROTESTA Y SE LE HA IMPEDIDO.

¿VISTE? HASTA VINO VIDEIRA, QUE NO FUE NI AL ENTIERRO DE SU MADRE...

ES QUE LE VA LA COMIDA EN ELLO.

¿QUIÉN ES VIDEI-RA...?

UN ARMADOR, DE LOS MÁS IMPORTANTES DEL PUE-BLO.

SI VIENEN LOS ARMADORES, ES BUENA COSA, ¿NO?

SÍ... PERO NO TE FÍES, QUE NO ES POR SOLIDARIDAD. COMO NO SE LIMPIEN LAS PLAYAS, NOS VAMOS TODOS A LA MIERDA: ARMADORES, MARINEROS, LAS DE LA PLAZA... TODOS.

YO CREO QUE ESTA VEZ ES DIFEREN-TE...

AGARRA POR AHÍ...

DIFERENTE, DE AQUELLA MA-NERA... YA VERÁS CUANDO LLEGUEN LAS ELECCIONES POR QUIÉN VAN A VO-TAR ESTOS... ECHA PARA ALLÁ.

NO LO ENTIENDO. VIENEN A PROTES-TAR CONTRA EL GOBIERNO, PERO DESPUÉS LO VAN A VOTAR. EN-TONCES...

¿...PARA QUÉ VIE-NEN?

PORQUE LA GENTE QUIERE QUE LE ARRE-GLEN EL PROBLEMA. PERO DE AHÍ A QUE CAMBIEN LAS COSAS...

¡PILLAD LAS PANCARTAS Y NO OS OLVIDÉIS DE LAS HOJAS!

MIRA QUE SOIS RAROS...

TOMA...

OYE, ¿Y ESTO DE QUÉ VA?

SOIS DE CALDELAS, ¿NO?

SÍ...

SOMOS DE AGITPROP. ESTE ES EL ITINERARIO. VAIS EN EL PRIMER GRUPO, DETRÁS DE LA CABECERA.

¡AH! DE ACUERDO, MUY BIEN...

TENEMOS AHÍ UNAS PANCARTAS PARA QUE LAS LLEVÉIS.

¿OÍSTEIS? AHÍ HAY MÁS PANCARTAS PARA LOS QUE QUIERAN...

OTERO DIMISIÓN

¿TE PASA ALGO?

DEMASIADA ORGANIZA-CIÓN...

¡PLAYAS LIMPIAS! ¡SOLUCIÓN!

ES MUCHA GENTE Y HAY QUE ORGANIZARLO, NO PUEDE SER DE OTRA MANERA... SI TENEMOS RESPALDO DE OTROS LADOS PODREMOS HACER MÁS FUERZA.

NO ME GUSTA QUE ME UTILI-CEN...

¿QUIÉN NOS ESTÁ UTILIZAN-DO?

CREO QUE SE ESTÁN MEZ-CLANDO LAS COSAS...

¡GOBIERNO DIMISIÓN! ¡OTERO AL PAREDÓN!

...ES DECIR, ESTÁ BIEN SI LO HACE LA GENTE, PERO CUANDO SE METE LA POLÍTICA, SE ENMIERDA TODO.

¿NO LO GRABAS...?

QUEREMOS QUE SE DECLARE LA COSTA ZONA CATASTRÓFICA Y QUE SE DESARROLLEN PLANES QUE PERMITAN REGENERARLA...

SI QUIERES... PERO VAN A SACAR SOLO UN PLANO CORTO PARA QUE NO SE VEA LA PLAZA...

ME HAN DICHO QUE SOLO PILLE RECURSOS.

TÚ TAMBIÉN, QUÉ EXAGERADO ERES. GRÁBALO, ANDA.

A MÍ ME DA IGUAL, PERO YA LO VERÁS...

...UN PLANO GENERAL MUY CORTO DE LA PLAZA, UN INSERTO DEL DISCURSO, Y PLANOS DE RECURSOS DE LA GENTE EN CALLES ESTRECHAS PARA QUE NO SE SEPA MUY BIEN CUÁNTA GENTE FUE.

LO DE SIEMPRE, VAMOS...

NO SEAS TAN PESIMISTA...

...SI NOS AUTOCENSURAMOS, ENTONCES SÍ QUE APAGA Y VÁMONOS.

TÚ ACABAS DE EMPEZAR, PERO LO QUE YO TE DIGA...

PERO BUENO, ERES LA REDACTORA...

...TÚ MANDAS.

PILLA ESE GRUPO...

¡VETE A GRABAR A TU CASA! MENTIROSOS, QUE SOIS UNOS MENTIROSOS.

NOSOTROS ESTAMOS PARA INFORMAR...

Y DECÍS QUE ES "UNA MANCHA DE PETRÓLEO"... HAY QUE SER HIJOS DE PUTA. SI TUVIERAIS VERGÜENZA NO ESTABAIS AQUÍ.

PASA DE ÉL, NO ENTRES AL TRAPO.

¿POR QUÉ TENGO QUE AGUANTAR QUE ME INSULTEN?

ESTÁS EQUIVOCADO. SOLO QUEREMOS...

¡MANIPULADORES, SOIS UNOS MANIPULADORES...!

¡...ESTÁIS VENDIDOS AL GOBIERNO!

MONCHO, DÉJALO.

NOSOTROS...

¿POR QUÉ? SI SON UNOS MENTIROSOS...

...NOSOTROS SOMOS TRABAJADORES. NO TENEMOS NADA QUE VER CON...

VENGA, VÁMONOS.

¿ESTÁS BIEN?

DÉJA-ME...

TRANQUILA, YA SE FUE-RON...

¡QUE ME DEJES EN PAZ!

¿QUÉ PASA, MUJER? ESTÁS TODA ENFURRUÑADA...

NO ME PASA NADA.

PUES TIENES UNA CARA...

LO DE LA PERIODISTA FUE UNA PASADA.

SÍ, SE PASARON UN POCO. SIEMPRE HAY ALGUNOS DESCONTROLADOS... SON CHAVALES... BAH, NO LE DES TANTA IMPORTANCIA.

PODÍAN HABERLE HECHO DAÑO.

LE METIERON UN SUSTO... MAL TAMPOCO LE VA A VENIR PARA QUE ESPABILE, A VER SI ASÍ PARA LA PRÓXIMA CUENTA LA VERDAD...

¡ES INCREÍBLE!

¿QUÉ...?

¡TANTO CRITICAR, Y AL FINAL HACÉIS LO MISMO...!

¡ANNA!

¿QUÉ HA PASADO?

114

LO QUE HA PASADO NO TIENE NOMBRE... HAY QUE SER DESGRACIADOS.

¿TÚ ESTÁS BIEN, SONIA?

SÍ...

POR LO MENOS SE SALVÓ LA CINTA.

LA CINTA ES LO DE MENOS. VETE PARA CASA, ANDA...

HAGO LA NOTICIA Y ME VOY.

TE VOY A PASAR A CULTURA. A LO MEJOR FUE UN ERROR PONERTE AQUÍ.

NO, POR FAVOR...

SONIA... ¿NO ESTARÍAS MEJOR ALLÍ?

DÉJAME SEGUIR CON ESTO...

COMO QUIERAS...

LUEGO PASO A VER CÓMO VAIS.

METE EL PLANO GENERAL DE LA PLAZA...

CORRESPONSA- LES EXTRANJEROS. LES ALQUILAMOS EL EQUIPO Y LANZAN DESDE AQUÍ.

...VALE, AHORA LAS DECLARA- CIONES.

¿OS FALTA MU- CHO...?

EN 10 MINUTOS ESTÁ.

VAMOS MAL DE TIEMPO, Y TENEMOS DE SOBRA DE LA MA- NIFESTACIÓN. HACED SOLO UNAS COLAS: CA- BEZA DE LA MANIFES- TACIÓN Y UN PAR DE INSERTOS DE LOS DISCURSOS.

NO VOY A DECIR NADA...

VOY A POR UN CAFÉ A LA MÁQUI- NA, ¿QUIERES UNO...?

NO, GRACIAS.

...PERO TE LO DIJE.

¡...SE VUELVA A PRODUCIR UNA CATÁSTROFE DE ESTE TIPO!

APAGA ESO...

ES DE JUZGADO DE GUARDIA.

SI TE FÍAS DE ESOS PARECE QUE SOLO HABÍA LA MITAD DE LA GENTE.

¿VES? SON UNOS MANIPULADORES.

AHÍ TIENES LA LIBERTAD DE EXPRESIÓN...

¿Y ESO JUSTIFICA QUE LES PEGUEN...?

ESTE ES UN PAÍS DE CACIQUES Y O LOS ECHAS POR LA FUERZA O NO SE VAN.

UN MES ANTES...

LOS VOLUNTARIOS

¿...TE AYUDO?

PUEDO SOLA, GRACIAS.

AQUÍ TODOS VIVIMOS DEL MAR...

MI PADRE ERA MARINERO, EL PADRE DE MI PADRE TAMBIÉN...

...YO VIVO DE LA PESCA Y MI MUJER TRABAJA EN UNA CONSERVERA.

¿QUÉ VE?

CHAPAPOTE.

¿SABE QUÉ VEO YO? MI RUINA...

...LA MÍA Y LA DE TODO EL PUEBLO.

DICE EL GOBIERNO QUE PRONTO LLEGARÁN AYUDAS ECONÓMICAS.

LOS POLÍTICOS HABLAN MUCHO PERO, DE MOMENTO, AQUÍ NADIE DA LA CARA.

ESA ES LA VERDAD...

ESTA GENTE ES LO ÚNICO QUE TENEMOS. LO DEMÁS SON BUENAS PALABRAS.

¿SON TRA-JES...?

PONEDLOS ALLÍ Y AVISAD DE QUE LAS MASCARILLAS SE ESTÁN TERMI-NANDO...

ANNA, TE IBA A LLAMAR AHORA. NECE-SITO QUE ACOMPAÑES A UN GRUPO QUE ACABA DE LLEGAR. HAY QUE BUSCARLES DÓNDE DORMIR.

VALE... PERO EL CONTENEDOR DE LA PLAYA DE LAS CONCHAS ESTÁ LLENO Y NO TENEMOS DÓNDE ECHAR EL CHAPA-POTE...

JODER... LLEVO DOS DÍAS LLAMANDO PARA QUE VENGAN A VA-CIARLO Y NO HAY MANERA...

LA CULPA ES DE FIDEL. A ESE HABÍA QUE QUE-MARLO VIVO... Y A LOS SUYOS TAMBIÉN.

NO LES FALTA RAZÓN. LO DE LOS POLÍTICOS DE AQUÍ ES UNA VERGÜENZA.

SÍ... PERO AHORA LO IMPORTANTE SON LAS PLAYAS. LAS PLAYAS Y LA GEN-TE QUE HA VENIDO AQUÍ, DE FORMA ESPONTÁNEA...

...COMO TÚ.

LOS HAY DE DERECHAS, DE IZQUIERDAS... AHÍ SÍ QUE LA POLÍTICA NO IMPORTA.

TODO DIOS UNIDO PARA SALVAR EL MAR.

¿QUÉ?

NADA... QUE ES UNA IDEA MUY BONITA...

¡MON-CHO!

HAN LLEGADO MÁS VOLUNTA-RIOS...

¿CUÁNTOS SOIS?

UN AUTOBÚS A REBOSAR... 60 CLAVADITOS.

VOY A MANDAROS CON ALGUIEN QUE OS BUSQUE DONDE DORMIR.

CUALQUIER SITIO. NOSOTROS LO QUE QUEREMOS ES IR A LIMPIAR.

YA... EL PROBLEMA ES QUE SE NOS HA TERMINADO EL MATERIAL Y EL GOBIERNO TODAVÍA NO HA ENVIADO MÁS.

HOSTIA... ¿Y QUÉ HACEMOS?

DE MOMENTO, ESPERAR.

SI ESTA TARDE NO LLEGA, YA IMPROVISAREMOS ALGO.

¿QUÉ TE HAN DICHO? ¿PODEMOS USAR EL ALMACÉN PARA LOS VOLUNTA- RIOS?

QUÉ VA... POR DENTRO ESTÁ HECHO UNA MIERDA. NI SI- QUIERA TIENE SUELO...

PERO... LLEVA ASÍ MÁS DE UN AÑO.

EL AYUNTA- MIENTO PARÓ LAS OBRAS POR FALTA DE PRESUPUESTO. ASÍ ESTABA Y ASÍ SE QUEDÓ.

TENGO LA LLAVE...

PARA LO QUE HACE FALTA NUNCA HAY PRE- SUPUESTO, PERO PARA VERBENAS Y COMILONAS SIEMPRE SOBRAN CUARTOS...

HAY QUE JODER- SE...

AQUÍ LA AYUDA ES MUY NECESARIA, CUANTO MÁS TIEMPO SE TARDE EN LIMPIAR LAS PLAYAS, MÁS IRREPARABLE SERÁ EL DAÑO DE LA MAREA NEGRA EN EL ECOSISTEMA MARINO.

PUES LA GENTE DEL PUEBLO NO PARECE MUY PREOCUPADA.

NI SIQUIERA NOS HAN DEJADO IR A LIMPIAR...

ESTÁN DESBORDADOS. CALDELAS ES UN PUEBLO MUY PEQUEÑO, YA LO VERÉIS, Y NO ESTÁ PREPARADO PARA SEMEJANTE ALUVIÓN DE GENTE.

HEMOS VENIDO A AYUDAR...

YA, PERO EL PROBLEMA ES QUE NO HAY MATERIAL PARA TODOS...

LLEVAN DÍAS PIDIÉNDOLE AL GOBIERNO QUE ENVÍE MÁS Y QUE HABILITE ESPACIOS PARA QUE LOS VOLUNTARIOS PUEDAN DESCANSAR...

¿Y...?

...Y, DE MOMENTO, MIENTRAS EL PROBLEMA NO SE SOLUCIONE, LOS VECINOS DE CALDELAS HAN PUESTO SUS CASAS A DISPOSICIÓN DE LOS VOLUNTARIOS.

¡¡PIIIIII!!

¡A VER! ¿¡QUERÉIS ATENDER!?

¡ATENDED! ¡EO!

¡¡PIIIIII!!

A QUIÉN SE LE OCURRE DARLE UN PITO...

NO SÉ A QUIÉN, PERO COMO SIGA ASÍ SE LO TRAGA.

¡VEENGA! ¡TODOS! ¿¡VEIS ESAS CAJAS!?

SON HERRAMIENTAS. NOS LAS HAN PRESTADO LAS FERRETERÍAS DEL PUEBLO Y ALGUNOS VECINOS...

¡DI LOS NOMBRES!

¿SON TUYAS?

¡PUES CLARO, HOMBRE!

¡VAMOS, DI LOS NOMBRES!

SUSO, ¿QUIERES CALLARTE UN MOMENTITO?

LAS HERRA-MIENTAS NO LLEGAN PARA TODOS. USAD CUAL-QUIER COSA QUE EN-CONTRÉIS. DESDE UNA PIEDRA HASTA UN TRO-ZO DE URALITA...

¿ESTAMOS? ¡¡VAMOS ALLÁ!!

ESTE AHORA MANDA MUCHO...

Y ESO QUE LE HAN DADO UN PITO. IMAGINA SI LE DAN UN MICRÓ-FONO...

¡MIRA ESTA! ¡SÍ QUE ES GRANDE!

¿ESTÁ VIVA?

ESTÁN SOLO PARA LLENARSE LOS BOLSILLOS. NO NOS MERECEMOS ESTOS POLÍ-TICOS.

NO, SEÑOR.

NI AYUDAN, NI DEJAN QUE LOS DE FUERA NOS AYUDEN...

ES UNA DESGRA-CIA...

¿TENÉIS PLANOS DE ZONAS MENOS AFECTA-DAS?

LO QUE HAY ES LO QUE VES.

ESO NI DE COÑA.

PUES OS BUSCÁIS LA VIDA. PERO ESTO NO VALE.

¡BÚS-CATELA TÚ!

YA SE LE PASARÁ...

EN-CÁRGATE TÚ...

¡NI DE COÑA, ESO ES COSA DE LA REDAC-TORA.

A MÍ ME PAGAN POR PEGAR PLA-NOS. EL MA-MONEO ES COSA DE LOS PLUMILLAS.

ROCÍO... ¡ROCÍO!

CÁLMA-TE...

VUELVE A LA CABINA Y TERMINA LA NOTICIA...

¿...O QUÉ?

O TE ATIENES A LAS CONSECUENCIAS. AQUÍ EL JEFE SOY YO.

¿SABES LO QUE TE DIGO? QUE YO SOY FIJA Y TÚ, POR MUCHA JEFATURA QUE TENGAS, ERES UN CONTRATADO.

Y A LO MEJOR, DESPUÉS DE LAS PRÓXIMAS ELECCIONES, YA NO ESTÁS AQUÍ...

¡...PERO YO, GANE QUIEN GANE, SÍ QUE VOY A ESTAR!

NO TE PONGAS ASÍ. SOLO TE HE PEDIDO QUE CORTES...

¡NO VOY A CORTAR NADA!

ROCÍO, CÁLMA-TE...

¡¡NO ME DA LA GANA!!

VOY A TENER QUE HACERTE UNA NOTA INTE-RIOR...

HAZ LO QUE TE DÉ LA GANA, PERO LA NOTICIA NO LA CORTO.

Y SI NO TE GUSTA, ME PASAS A OTRO PROGRAMA.

¿TÚ QUÉ MIRAS?

WORLD
NEWS   PROTE

BAH... HAY MÁS INTELEC- TUALES QUE MARINEROS.

TODAS LAS TELEVISIONES ESTÁN SACANDO LAS MANIFESTACIONES... TODAS MENOS LA NUESTRA.

NO ME JO- DAS, ÁLVA- RO...

...BASTANTES PROBLEMAS TEN- GO CON LOS REDAC- TORES PARA DIS- CUTIR TAMBIÉN CONTIGO.

YA ME ENTERÉ DE LO DE ROCÍO...

LA VOY A MANDAR AL FIN DE SEMA- NA. ESTÁ MUY ALTERADA.

¿Y A QUIÉN VAS A ENVIAR A CALDE- LAS?

TODAVÍA NO LO SÉ...

...PERO NO CREO QUE QUIERAN IR MUCHOS.

ESA ES MONA. PUEDE DAR BIEN EN PANTALLA.

ESTÁ MUY VERDE.

PARA HACER UNA ENTRADILLA DELANTE DE UNA CÁMARA TAMPOCO HAY QUE SER UN GENIO.

TÚ ERES SONIA, ¿NO?

SÍ, ¿POR...? ¿PASA ALGO?

TRANQUILA.

ESTAMOS PENSANDO EN MANDARTE A CALDELAS PARA CUBRIR EL ACCIDENTE DEL PETROLERO.

CASTRO, ES SOLO UNA BECARIA. ESTO LE VIENE GRANDE.

SÍ, SÍ... YO VOY.

HOMBRE, POR FIN ALGUIEN CON ACTITUD POSITIVA...

VENTE Y TE EXPLICO LO QUE TIENES QUE HACER...

DOS SEMANAS ANTES...

LA MAREA NEGRA

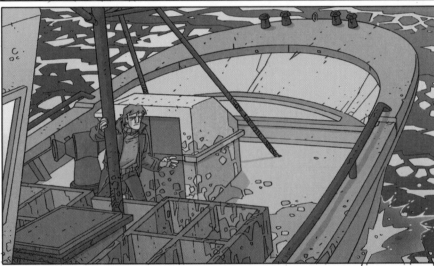

¡HOSTIA!

LA...

LA...

RESPIRA, HOMBRE.

CÁLLATE.

¿QUÉ PASA, EMILIO?

LA... MAREA... NEGRA...

...ESTÁ ENTRANDO.

ESO ES IMPOSIBLE.

EN LA TELE NO HAN DICHO NADA...

¿ESTÁS SEGURO? SI EL NAUFRAGIO ES FRENTE A PORTOCASTRO, HAY CASI 60 MILLAS...

¡QUE OS DIGO QUE ESTÁ ENTRANDO, HOSTIA!

SI ENTRA, ESTAMOS JODIDOS.

HAY QUE PARARLA.

¿PARARLA? ¿Y CÓMO QUIERES PARARLA, MONCHIÑO? ¿A SOPLIDOS...?

PODEMOS SALIR CON LOS BARCOS.

AQUÍ NADIE VA A HACER NADA.

PERO, PEPE...

OS DIGO QUE TODOS QUIETOS, ¿ESTAMOS? HAY QUE HABLAR CON EL ALCALDE.

LLAMAD A LA GENTE Y QUE SE REÚNAN EN LA COFRADÍA.

LUKI, TÚ CONMIGO.

¿QUE ESPEREMOS A QUÉ? ¿A QUE LLEGUE HASTA LA PLAYA?

SINVER-GÜENZAS...

SON UNOS SINVERGÜENZAS, HOMBRE...

NO HAY DERE-CHO...

BAR GRAN

¡EH! ¿¡QUÉ HACES!? QUE PEPE DICE QUE ESPERE-MOS...

¡QUE LE DEN A PEPE Y AL ALCAL-DE!

CLANG

¡HALA! ¡TODOS PARA DENTRO!

EHM...

PALAS, CUBOS...

...LLEVAOS CUALQUIER COSA QUE SIRVA PARA PILLAR EL PETRÓLEO.

¿Y QUÉ COÑO SABEMOS NOSOTROS DE PILLAR PETRÓLEO?

TÚ PÍLLALO Y CALLA.

ESPABILARÁS...

NECESITAMOS MÁS BARCOS.

¡QUE SE MOJEN LOS ARMADORES, JODER!

ESO...

YO PONGO LOS MÍOS.

YO TAMBIÉN.

TRES Y DOS, CINCO... PERFECTO.

VIDEIRA, ¿CONTAMOS CONTIGO?

¿VIDEIRA...?

A BUEN SITIO FUE...

VAMOS, VIDEIRA, COÑO... QUE NOS JUGAMOS EL PAN DE NUESTROS HIJOS.

TENEMOS QUE COLABORAR TODOS.

HACED LO QUE OS DÉ LA GANA...

Y CINCO Y TRES, OCHO. ¡VENGA!

AVISAD A SOUTELO, A MACÍAS Y A LOS TRES ARMADORES: HAY QUE SALIR YA.

DISCULPE.

JAVIER MOLINA, DE HOY.

ESTOY ESCRIBIENDO UN REPORTAJE SOBRE EL NAUFRAGIO DEL PETROLERO Y LA MAREA NEGRA.

DICEN QUE LA MANCHA ESTÁ ENTRANDO EN LA RÍA...

ESO ESTÁ POR VER... AÚN ES POSIBLE EVITARLO.

SI VAN A SALIR A PARARLA, ME GUSTARÍA ACOMPAÑARLES.

¡EMILIO!

EMILIO TIENE BARCO PROPIO...

ESTE SEÑOR ES PERIODISTA. QUIERE ESCRIBIR SOBRE NOSOTROS.

ME GUSTARÍA ACOMPAÑARLES, SI ES POSIBLE...

¡VENGA! ¡AVISAD A TODO EL PUEBLO!

¡SI SALIMOS TODOS, LA PARAREMOS!

Y SÍ... NOS CONFIRMAN QUE, TRAS 22 HORAS DE TRABAJO ININTERRUMPIDO...

...LOS MARINEROS DE CALDELAS HAN LOGRADO PARAR LA MANCHA DE FUEL EN SU ENTRADA A LA RÍA.

DESDE EL PUERTO DE CALDELAS INFORMA ROCÍO GARCÍA.

NO DIGAS QUE LA HAN PARADO LOS MARINEROS.

SOLO QUE SE HA PARADO... Y PUNTO.

TRES, DOS, UNO...

Y EN OTRO ORDEN DE COSAS...

...SE CONFIRMA LA ROTURA DE FIBRAS DE JUANITO, UNA NOTICIA QUE LOS RESPONSABLES DEL CLUB HAN TILDADO DE CATÁSTROFE.

"VIENE OTRA. UNA MUCHO MÁS GRANDE."

UN MES ANTES...

EL PETROLERO

ESTABA VISTO...

CON ESAS OLAS LO RARO ES QUE NO SE PARTIERA ANTES...

QUÉ OLAS NI QUÉ OLAS. EL PROBLEMA ES EL CASCO. SI LLEVARAN DOBLE CASCO NO PASABA NADA.

PERO AQUÍ TODO EL MUNDO ESTÁ A LA PICARESCA... Y ASÍ NOS LUCE EL PELO.

PUES ESO TIENE MUY MALA PINTA.

PON AHÍ A VER SI EN LA DE AQUÍ DICEN ALGO.

ESTO ES UNA BOMBA.

LO ESTÁN DANDO TODOS MENOS NOSOTROS QUE LO TENEMOS ENFRENTE. ¿A QUÉ ESTAMOS ESPERANDO?

HE LLAMADO A PESCA Y ME HAN DICHO QUE ESPEREMOS.

¿ESPERAR A QUÉ? ESTÁ ECHANDO PETRÓLEO. ¿ES QUE NO LO VES?

HAY QUE HACER UN ESPECIAL YA O VAMOS A QUEDAR COMO UNOS GILIPOLLAS.

TRANQUILIDAD, ¿EH...? TAMPOCO SEAS ALARMISTA, QUE LO MISMO QUEDA EN NADA.

ESTOY PENDIENTE DE QUE LLAMEN.

HASTA SABER MÁS, IRÁ EN TITULARES, PERO HOY ABRIMOS CON LO DEL PARO.

¡ESTO ES INCREÍBLE...!

EL CAFÉ...

SE HA PARTIDO UN PETROLERO DELANTE DE NOSOTROS Y QUIERES ABRIR CON QUE EL PARO HA BAJADO UNA DÉCIMA...

¡HOMBRE, NO ME JODAS!

ERA CON LECHE, ¿NO?

ERA CORTADO... PERO DA IGUAL.

HAZ LO QUE TE DIGO Y CÍÑETE A LA ESCALETA: ENTRA DE TERCERA EN TITULARES Y DESPUÉS UNA NOTICIA DE UN MINUTO.

LO SIENTO...

¿ME HAS OÍDO?

SÍ, HOMBRE, SÍ...

ESTO ES DE VERGÜENZA.

QUIERO QUE TE ENCARGUES DE ESTO.

¿YO? ¿POR QUÉ?

ESTA ES OTRA COMO LA DEL 76. Y SI NO, AL TIEMPO.

HOMBRE, SALVADOR... SI ESTO VIENE TODO POR AGENCIA. SI ES REDACTAR TELE-TIPOS... PON A ALGÚN BECARIO.

ESTO EN UNOS DÍAS LO TENEMOS ENCIMA.

AÚN NO SE PUEDE SABER.

¿DÓNDE QUEDÓ TU INSTIN-TO...?

LO CAMBIÉ POR UN PLUS.

¡JA! EL QUE MÁS SABE DE PESCA ERES TÚ, ASÍ QUE TE TOCÓ.

NO ME MAREES, SAL-VADOR...

ME HAN OFRECIDO IR DE JEFE DE PRENSA A ME-DIO AMBIEN-TE...

...PERO TODAVÍA NO TE HAS IDO. PONTE CON ELLO, EN-SEGUIDA.

SI PILLO ESO ME TACHAN DE LA LISTA.

TENGO LA CORAZONADA DE QUE ESTA VA A SER DE AGÁRRA-TE, Y TE LA ESTOY OFRECIENDO EN BANDEJA.

¿CUÁNTO HACE QUE NO TENEMOS UN ASUNTO ASÍ?

SABES QUE NO ES ESO...

¿AH, NO? ¿ENTONCES, QUÉ?

LO QUE SUCEDE ES QUE ESTÁS ADOCENADO CON TANTA RUEDA DE PRENSA.

NO SEAS CABRÓN...

ESTE NAUFRAGIO ES DISTINTO, YA VERÁS. ESTO ES DE ALCANCE NACIONAL Y LO VAMOS A CONTAR NOSOTROS.

SI ACEPTO, Y ES HIPOTÉTICO, ¿QUÉ COBERTURA LE VAIS A DAR?

TODA. CON ESTO VAMOS A IR A TOPE. TIENES MI PALABRA.

MOLINA, DECIDE...

¿...ERES DE LOS QUE CUENTAN LA VERDAD O DE LOS QUE LA MAQUILLAN?

ERES UN CABRONAZO...

VAMOS.

POR AHORA, NADA. ESTÁN PREPARANDO UNA NOTA OFICIAL: LOS HA PILLADO A TODOS EN BRAGAS.

ME HAN DICHO QUE MEDIO GOBIERNO ESTABA DE PESCA...

¿LOS DE PESCA HAN HECHO ALGÚN COMUNICADO?

ESA ES BUENA.

DE MOMENTO ES EXTRAOFICIAL, ASÍ QUE NO ME METAS EN LÍOS.

¿QUÉ LÍOS...?

SEGURO QUE YA HAN VUELTO... POR LO MENOS PARA QUE LES CUENTEN QUÉ ESTÁ PASANDO.

¡JA!

CON LA DE AÑOS QUE LLEVAS EN ESTO Y AÚN CREES EN LOS PECES DE COLORES.

MOLINA, A VECES NO SÉ SI ERES UN IDEALISTA O UN TONTO.

BUENO, ME IBA A IR A MEDIO AMBIENTE...

...PERO TE QUEDASTE.

ERES UN IDEALISTA TONTO.

ENCÁR-
GUESE
USTED.

SEGÚN ME
HA DICHO PUGA,
USTED LLEVABA
MESES PIDIENDO
UN CARGO DE MA-
YOR RESPONSA-
BILIDAD.

AHORA LO
TIENE.

DON
JOSÉ, ES QUE
EL PETRO-
LERO...

SI NO SE
VE CAPACITA-
DO, DÍGALO
AHORA.

HÁGALO BIEN.
CONFÍO EN USTED.
TIENE TODO MI
APOYO Y EL DEL
PARTIDO.

MUCHAS
GRACIAS.

PAM

¿ESCU-
CHASTE LAS
NOTICIAS?

¿LO
QUÉ?

SE PARTIÓ
UN PETRO-
LERO A 70
MILLAS.

¡AH!
SÍ, ALGO
OÍ...

¿Y ESTÁS
TAN TRAN-
QUILO?

BOH, AL
FINAL YA VERÁS.
NO PASA NADA. SON
MUCHAS MILLAS DE
NUESTRO SEÑOR
PARA QUE LLE-
GUE AQUÍ.

OJALÁ...

UNA SEMANA ANTES...

A VER, ¿QUÉ PASA? DENTRO NO ABRISTE LA BOCA.

ES MUCHO DINERO, EMILIO.

SARA... ES LA ÚNICA MANERA. ¿QUÉ QUIERES, QUE SIGA TRABAJANDO PARA VIDEIRA TODA LA VIDA?

¿Y SI NO SOMOS CAPACES DE PAGARLO?

¿A QUÉ VIENE ESTO AHORA? LO HABÍAMOS HABLADO, ¿NO?

SI QUIERO SER INDEPENDIENTE, NO HAY OTRA FORMA.

EMILIO, SON 24.000 EUROS.

VA A IR BIEN. CRÉEME.

DIOS TE OIGA.

DE AHORA EN ADELANTE SOLO DEPENDO DE MÍ... Y DEL MAR.

DEL MAR SIEMPRE...

APAREJOS DE PESCA **HIPOCAMPO**

¿TE GUSTAN ESAS O TE TRAIGO OTRAS?

ESTAS ESTÁN BIEN... PONME CUATRO MÁS.

NECESITO TRES GANCHAS DE DISTINTA MALLA, UN MATAFUEGOS Y UNA ZODIAC.

¿Y A VIDEIRA CÓMO LE SENTÓ QUE TE FUERAS...?

YA ME DIRÁS LA COMPETENCIA QUE LE VOY A HACER...

¿A QUÉ VAS, AL MARISQUEO...?

SÍ.

PONERSE DE AUTÓNOMO AÚN DEBE SALIR POR UN PICO...

ENTRE FOLIO, PERME, BARCO, MOTOR Y EQUIPO... SÍ, AÚN SUBE BASTANTE.

¿QUÉ COMPRASTE, UNA DORNA?

LA DE DOMELO. ES QUE PARA IR YO SOLO...

¡PERO LA DE DOMELO NO VALÍA PARA NADA!

SÍ, ESTABA TODA PODRIDA... TUVE QUE ENCARGAR UNA NUEVA AHÍ, EN REGUEIRO.

LE METO EL FOLIO A LA NUEVA, TOTAL LAS DOS SON DORNAS, Y MALO SERÁ...

ESTÁ BIEN, HOMBRE. MIRA, SI ANDAS JUSTO TAMPOCO HACE FALTA QUE LLEVES LA ZODIAC. NADIE TE VA A DECIR NADA Y MULTARTE TAMPOCO TE VAN A MULTAR.

NO, TRAE, TRAE... NUNCA SE SABE, YO NO QUIERO LÍOS.

NO VAYA A SER EL DEMONIO QUE POR UNA TONTERÍA ME QUITEN EL PERME.

COMO QUIERAS. YO ENCANTADO DE VENDÉRTELAS.

AHORA QUE ME METÍ... VOY A HACERLO BIEN.

HA DE IR BIEN, HOMBRE, YA LO VERÁS.

HEMOS FRANQUEADO EL ECUADOR DE LA LEGISLATURA SIN PERDER UN ÁPICE DEL APOYO MAYORITARIO PARA SEGUIR GOBERNANDO. UN RESPALDO QUE NOS PERMITE AFRONTAR LO QUE QUEDA DE LEGISLATURA CON SERENIDAD Y OPTIMISMO.

PRECISAMENTE POR ELLO DEBEMOS AFRONTAR EL RETO DE IR A LA VANGUARDIA DE LA SOCIEDAD.

XX CON RESO
SERENIDAD, OPTIMISMO, VALOR

ANTE NOSOTROS SE PLANTEAN NUEVOS RETOS Y, PARA AFRONTAR ESOS NUEVOS DESAFÍOS, NECESITAMOS RENOVAR EL CAPITAL HUMANO DEL PARTIDO SIN PERDER NUESTRA UNIDAD DE ACCIÓN NI DE DIRECCIÓN.

SE AVECINAN NUEVOS TIEMPOS Y TENEMOS QUE ADAPTARNOS A ELLOS.

ESTE NO SUELTA EL MANDO NI A TIROS...

PARA ESTA NUEVA ETAPA NECESITAMOS PERSONAS QUE AÚNEN ENTUSIASMO CON CAPACIDAD DE REFLEXIÓN, JUVENTUD CON EXPERIENCIA Y HUMILDAD CON LIDERAZGO.

TRANQUILO, HOY VA A ANUNCIAR SUCESOR. LA COSA ESTÁ ENTRE PUGA Y MOSQUERA.

SI GANA PUGA, NOSOTROS SUBIMOS CON ÉL. ME HA PROMETIDO PESCA.

POR ESO CREO QUE TODOS ESTARÉIS DE ACUERDO CONMIGO EN QUE LA ELECCIÓN DE ADOLFO PUGA PARA LA VICEPRESIDENCIA PRIMERA HA SIDO MUY SENCILLA.

¡BRAVO!

¡BRAVO!

PARA ADAPTARNOS A LOS TIEMPOS Y A LA ECONOMÍA DE LOS TIEMPOS NECESITAMOS: CRECIMIENTO, EMPLEO E ILUSIÓN.

Y PARA PONER EL ÉNFASIS HAY QUE ACTUAR SOBRE TRES ÁREAS FUNDAMENTALES EN LA ECONOMÍA DE NUESTRA TIERRA...

...INDUSTRIA, PESCA Y AGRICULTURA.

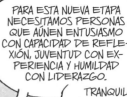

PARA ELLO...

...CONTARÉ EN MI EQUIPO CON TRES PERSONAS QUE HAN DEMOSTRADO DE SOBRA SU CAPACIDAD EN EL ÁMBITO DE LA GESTIÓN EN DICHOS CAMPOS...

...ÁNGELES RUIZ, MANUEL LÓPEZ CAMINO Y ANTONIO FUENTES.

¿QUÉ HA DICHO?

LA SUBSECRETARÍA DE PESCA.

ME DA LA SUBSECRETARÍA DE PESCA. ¡ES UN CABRÓN DESAGRADECIDO! ME HABÍA PROMETIDO LA...

VAMOS, LA SUBSECRETARÍA TAMPOCO ESTÁ...

ME HE DEJADO LA PIEL POR EL PARTIDO Y ME DEJAN DE LADO...

FIN

LA CUENTA ATRÁS

Hace ya tiempo que la historieta ocupó los últimos espacios a los que, como medio de expresión y comunicación potente, eficaz y flexible, era de esperar que llegase. No se trata de escalas de importancia, ni de opciones mejores o peores, ni de ambiciones más o menos nobles. Es, simplemente, que un lenguaje que sirve para contar tanto una divertida historia intrascendente como un drama demoledor, que puede hacer suyos todos los géneros, sea aventura, policíaco, anticipación o relato costumbrista, que puede funcionar en clave poética, narrativa pura, periodística o ensayística, es, digo, normal que, tarde o temprano, termine asentándose en todas esas opciones. Lógico resulta también que surjan obras híbridas, como tantas veces sucede en otros lenguajes. Y así, una cierta materia informativa, una intención de reflexionar sobre esos datos encuentren una manera de llegar al lector a través de una apariencia formal entre el documental dramatizado y la crónica social.

Este puede ser el caso de *La cuenta atrás*, que el lector acaba de terminar. **Carlos Portela** y **Sergi San Julián** nos muestran en esta narración cómo, cuantos más elementos de riesgo vayamos acumulando en un sistema, más aumenta la probabilidad de que el desastre acontezca; pero, sobre todo, que más allá del cálculo de probabilidades temerariamente asumido, traspasado cierto punto crítico de acumulación de irregularidades y chanchullos, descuidos y errores, el desastre acontece, ineludible y devastador, más pronto que tarde. Si no recordamos que en noviembre del 2002 un barco cargado de fuelóleo –un destilado del petróleo muy pesado y contaminante– naufragó frente a las costas de Galicia provocando una catástrofe ecológica de dimensiones descomunales que abarcó desde el norte de Portugal hasta las Landes francesas, que tuvo consecuencias aterradoras, y que la gestión de aquel desastre fue, cuando menos, "discutible", insistiremos en el viejo problema de la humanidad de estar condenados a repetir obcecadamente nuestros errores por negarnos a recordar la experiencia previa. Portela y San Julián intentan con este libro ayudarnos a no olvidar.

Lo hacen a través de una narración ficcionada, pero elaborada a partir de datos y hechos tristemente reales y contrastados. El lector habrá comprobado que Portela nos propone un artificio de suma eficacia, construyendo el relato a partir del momento "final" y recomponiendo hacia atrás la sucesión de acontecimientos, como lo harían en su proceso de indagación un periodista de investigación o un policía.

De esa manera, el lector conoce primero las consecuencias y viaja hacia atrás para entender las causas. El título es, en este sentido, bien explícito. La historia, aun estando envuelta en esa ficción tejida con personajes que no se corresponden "notarialmente" con gentes reales, sí se compone de hechos y datos que podemos encontrar en las informaciones que fueron apareciendo en los medios de comunicación –también ellos protagonistas, no siempre desinteresados, de este mosaico– durante aquellos meses. El desastre del Prestige resulta especialmente interesante sociológicamente porque terminó siendo una de esas historias que implican a toda la sociedad y nos muestran las interrelaciones y los mutuos condicionamientos entre los distintos estamentos. Así, entran en juego sucesivamente el comercio globalizado, los intereses económicos amorales y depredadores, el ordenamiento jurídico imperfecto, los controles internacionales dudosos, las decisiones políticas "discutibles", la imprevisión técnica y la penuria de recursos científicos, la responsabilidad de los medios de comunicación, el corporativismo partidista, la rendición de ciertos colectivos ante el soborno aparentemente protector... o el activismo generoso sin fronteras (no todo es negativo). Todo esto forma parte del material narrativo que Portela utiliza para componer el guion de *La cuenta atrás*. Y, a través de la parte ficcionada de la historia (no por ello menos verosímil), hace que entren en juego las contradicciones humanas, las debilidades, las ambiciones y las miserias, las renuncias y las decepciones... La vida.

Sergi San Julián pone su buen hacer, su dibujo limpio y eficaz, al servicio de la historia, sin devorarla, sin desvirtuarla con ejercicios de estilo incoherentes con lo que se está contando. Crea un catálogo de personajes perfectamente creíbles, proponiendo un *casting* verosímil que reemplaza a los "modelos" reales que el lector pueda tener en la cabeza asociados con los hechos relatados. La puesta en escena, la composición y la narrativa visual son sobrias, contenidas, tanto como la paleta cromática, consiguiendo transmitir la información y las emociones sin estridencias, sin distraer la atención del lector ni condicionar su juicio moral sobre los personajes con recursos gráficos (buenos "guapos", malos "feos") que en otros casos pueden ser perfectamente legítimos y adecuados, pero que en esta historia que busca ese punto de asepsia informativa, de descripción casi entomológica de los hechos, serían tramposos y tendenciosos.

La cuenta atrás es uno de esos libros que "había que hacer", que no podía ni debía quedar en el cajón de los proyectos fallidos, y que ha tenido una gestación complicada e incierta.

Afortunadamente, al final ha conseguido encontrar una vía para ser terminado y publicado, y eso es tranquilizador porque, más allá del posicionamiento personal que cada lector pudiese tener a estas alturas sobre el acontecimiento, o que pueda adoptar tras su lectura, su no publicación hubiese supuesto un fracaso colectivo del medio. *La cuenta atrás* contribuye a hacer del cómic un lenguaje de "amplio espectro", imprescindible ya para entender mejor la sociedad en la que vivimos.

MIGUELANXO PRADO

LA ENTREVISTA

Hace 20 años, 2002

Noviembre. El petrolero Prestige se parte en dos frente a la costa gallega. Lo que se afirmó que eran unos pequeños hilitos de plastilina resultó ser uno de los desastres medioambientales más graves que ha vivido la costa gallega.

Hace 15 años, 2007

Agosto. Una preciosa foto de playas limpias y paradisíacas abre la lectura de la primera parte de *La cuenta atrás*, donde **Carlos Portela** y **Sergi San Julián** cuentan la historia del hundimiento de un petrolero frente a la costa de de un pueblo llamado Caldelas.

Según la propaganda oficial, cinco años después, las playas están limpias, pero leyendo vuestro álbum parece como si todavía no se hubiese quitado el chapapote de la sociedad gallega.

Carlos Portela: Ante una catástrofe tan gorda, lo que la gente quiere es olvidar, tirar adelante. Sí que hay, y sigue habiendo, efectos colaterales que poco a poco van apareciendo en la naturaleza: desaparición y transformación de especies que van a afectar a la economía y forma de vida en Galicia. Es verdad que para el turismo, superficialmente, está limpia, pero hay cosas que el batido del mar no limpia.

Cuando planteé a más gente la posibilidad de hacer este álbum, me decían que mejor no hablar ahora, que hay que pasar página. Es verdad que es la primera vez que ha habido un movimiento ciudadano de este calibre, que es la primera vez que la gente sale a la calle a protestar de esta forma, pero el problema es que nos quedamos en eso.

Guionista gallego y dibujante catalán. ¿La distancia hace que la perspectiva sea diferente?

Sergi San Julián: No es exactamente cierto. Sí es verdad que lo viví a distancia, pero con bastante amargura. Cuando pasó, Carlos y yo nos llamábamos constantemente, y muchas de las vivencias que ha plasmado en el tebeo yo ya las conocía de alguna manera. No las he vivido en primera persona, pero sí las he visto a través de los ojos de Carlos. Quizás la ventaja que he tenido, en ese aspecto, es que esa distancia me ha permitido no caer en clichés a la hora de representar a los personajes.

Uno de los aspectos que primero salta a la vista en la lectura de *La cuenta atrás* es esa elección de ir hacia atrás en el tiempo. Una estructura que parece que busque causas, pero en la que se salva una interpretación maniquea, de búsqueda de culpables.

Portela: Yo no creo que haya culpables. Se rompió un petrolero y eso le puede pasar a cualquier gobierno; no es culpa de él, eso es evidente. El problema es cómo se gestiona, y ahí sí que creo que hubo un problema. Es por lo que la gente se mosqueó y salió a la calle. Por eso la historia tiene ese tono de fábula: es Galicia, parece Galicia, pero puede ser cualquier otro lugar. Vayamos a las causas y, sobre todo, a lo que me interesaba, a seguir el tejido de los actores de esta tragedia, desde el político al que le toca estar en el poder hasta la gente del pueblo, pasando por los periodistas. No, no, ese tipo de cosas no las creo, creo en el gris cuando hablamos de personas. No hay personajes malignos a lo Fu Manchú, no los hay. Es verdad que no sabíamos qué pasaba, que hubo mucha desinformación; pero yo tengo una gran fe en la incapacidad humana, más que en la existencia de planes maestros. Pero tampoco víctimas absolutas: todos tomamos decisiones y estas acarrean consecuencias.

Yo intentaba esa fotografía de todo el proceso, el análisis de causas. Todos conocemos la historia, pero ahora teníamos que buscar las causas a todo este tipo de comportamientos. Ha pasado todo esto y el lector debe sacar sus propias conclusiones. Con la historia hacia atrás busqué ese efecto. He buscado en literatura o cine y siempre encontré la constante de que es una estructura para analizar las causas. Corría el peligro de que no se entendiese, pero, tratando un tema que la gente conocía, tenía el anclaje de la realidad en todo momento. Y es una historieta: siempre tienes la opción de volver hacia atrás.

San Julián: Sí, pero en todo momento hay una visión de lo malo o lo bueno. Se le da al lector la oportunidad de juzgar las causas, pero hay un juicio previo. El intento de Carlos es dar una visión panorámica de todas las interacciones y de cómo las acciones de unos provocaron las reacciones de otros. No nos dimos cuenta, pero es verdad que se comienza con una serie de tópicos, de arquetipos que forman un territorio común y crean unas expectativas que permiten desarrollar la historia de una manera diferente.

Aunque no haya culpables, tampoco hay inocentes. De hecho, de una u otra forma se critica a todos los que participaron en la catástrofe.

Portela: Sí, me lo han dicho, pero creo que, a su manera, todos tienen momentos de heroísmo. El problema es que, en una catástrofe de este tipo, es muy difícil que todo termine bien. Se puede ir a la playa, decir lo contrario es mentira, pero sigue habiendo una costra de chapapote por debajo y no se han puesto los medios para evitar que vuelva a pasar. Hay damnificados, y todos, incluso aquellos a los que aparentemente les sale todo bien, han quedado tocados. Una situación tan extrema te coloca en tesituras que sacan lo mejor y lo peor.

San Julián: Yo creo que hay un juicio claro por parte de Carlos: vamos a sentarnos para pensar qué ha pasado, por qué ha pasado. Carlos es muy gallego en esto. Es un pueblo increíble, pero tienen una forma de ser -me van a matar por decir esto- un poco autodestructiva, que quizás no tenemos en Barcelona o Madrid. Por eso quizás todos los actores de este drama se llevan su crítica particular.

Todos excepto la cooperante, Ana. ¿Fueron los voluntarios los únicos inocentes de este drama?

Portela: Sí y no. Sí en el sentido de que el movimiento de voluntariado fue alucinante y espontáneo. Una cosa de la gente, que salió del corazón del pueblo aunque algunos partidos intentaran aprovecharlo. Aunque fíjate también que hay otros personajes que son bien tratados, como el periodista o la mujer del protagonista. De hecho, es la más sensata de todo el álbum, es realista: vives en un entorno determinado y eres consciente de tus contradicciones. Otra cosa es que la situación no le permita llegar a un fin maravilloso.

San Julián: Eso fue una discusión que tuve con Carlos: "esa es la única que has dejado con cabeza". La verdad es que la gente agradeció mucho este movimiento espontáneo, aunque se podía haber jugado, a lo mejor, con el hecho de que había mucho burguesito con tiempo libre. Pero a fin de cuentas fueron los únicos que hicieron lo correcto. Eso sí, se salva moralmente, pero también recibe su palo...

Quizás el único actor que no aparece en la trama es el silente, aquellos que vivieron la catástrofe pero nunca dijeron nada, que no hablaron, ni se manifestaron, solo vieron lo que contaban los medios de comunicación.

Portela: Claro, hay cosas que quedan fuera, pero por una cuestión de espacio, son veintitantos personajes con peso. Falta también la gente de la cultura, que se implicó desde fuera; la de la oposición, que tampoco hizo mucho... Hay para todos. Todos tuvimos responsabilidad por acción o por inacción. Yo me centro en algunos personajes, pero es muy difícil hacer un fresco de una situación que toca a toda la sociedad.

Pese a que todo transcurre en el imaginario Caldelas, es imposible no pensar inmediatamente en el Prestige y en Galicia. ¿Fue muy difícil separar una cosa de otra?

San Julián: Yo he trabajado con documentación de Galicia, de Muxía. Caldelas es Muxía y Muxía es Caldelas. Sin embargo, intentábamos mostrar que puede pasar en más países; es más, puede tener mucha fuerza en otros países donde ha pasado algo similar. Quizás lo más fácil hubiera sido ubicarlo en otro lado reconocible, o yendo a géneros, pero nosotros usamos esa documentación.

Portela: Pasó en Inglaterra, en Grecia, en los EE.UU... A mí lo que me interesa es que esto puede volver a pasar y cómo nos comportamos las personas, porque, a la hora de la verdad, todos intentan sacar partido de la situación o echar balones fuera, y muy poca gente intenta solucionarlo y que no vuelva a pasar.

Utilizáis la historieta con una clara vocación de medio social, pero es evidente que, por lo menos en el caso de Carlos, guionista del álbum, hay mucho más. ¿No es así?

Portela: Yo recordaba las palabras de **Max** cuando hizo el primer número de *Nosotros Somos Los Muertos*, el que se distribuyó fotocopiado en el Salón de Barcelona: "Todos tenemos una responsabilidad". A veces el cuerpo te pide sacar lo que vives. Y como me expreso mejor es con la historieta. Se llegó a plantear también un largometraje, pero creo que como mejor se puede mostrar esta historia es con la historieta.

Hoy, 2022

Mayo. Vivimos en una pandemia que parece no tener fin. El fantasma de la guerra nuclear se vuelve a extender por el mundo.

Han pasado 20 años del desastre del Prestige. Cinco años después de aquel desastre, publicasteis la primera parte de una obra que quedó inconclusa durante esas dos décadas. Es una buena metáfora de una catástrofe que todavía no ha cerrado sus heridas, ¿no?

Portela: Aunque no ha sido intencionado, lo cierto es que sí. El libro tendría que haberse terminado uno o dos años después del primero, pero por circunstancias de la vida no pudo ser.

San Julián: Supongo que nunca hemos sido un pueblo demasiado amante de los cierres. Quizás por eso siempre andamos con las heridas abiertas, dispuestos a hurgar en ellas a la primera oportunidad. Es una manera como cualquier otra de enfrentarse a la realidad, o alejarse de ella.

La lectura de esta obra hoy resulta quizás más dolorosa al constatar que las ficciones que planteáis se han convertido en un recuerdo sobrepasado por la historia real, que la política consiguió limpiar con mucha más eficacia su gestión que las playas. ¿Tendría sentido añadir un capítulo de preámbulo en el presente o el Prestige ya es definitivamente historia?

Portela: Aprovechando el paso de tiempo y la resolución judicial en torno al caso, pensamos que vendría bien un epílogo varios años después. En él se repasaba el momento en que los distintos protagonistas de la historia se enteraban de la misma. Habían pasado siete años y cada uno estaba en un momento vital muy distinto a los del principio/final del libro. Y, sí, efectivamente, hablaba de eso. Dudamos mucho si incluirlo o no porque, en realidad, rompe la estructura del libro, pero creo que queda bien como extra.

De alguna manera, con *La cuenta atrás*, os adelantasteis al género del periodismo gráfico que tanto desarrollo ha tenido en los últimos años, pero

optando por la ficción. Pese a que no es difícil establecer relaciones con la realidad, ¿es la ficción de lo ocurrido la mejor manera de enfrentarse al trauma, como decía Hannah Arendt? ¿Quizás es la mejor forma de provocar una reflexión que sigue rechazada por la política?

Portela: Para mí, desde luego, sí. Aunque he trabajado durante años en periódicos y en televisión, la ficción es mi campo preferido y en el que más experiencia tengo. Creo que te permite una mejor construcción del relato porque puedes servirte de una estructura narrativa particular, como en este caso, o crear personajes en los que se fundan varias personas. Si fueses fiel a la realidad, sobre todo en lo tocante a número de personajes y peso real de cada uno en la historia, eso te llevaría a un libro de mil páginas, que, además, no creo que tuviese el mismo impacto en el lector.

San Julián: No sé. Siempre he pensado que la mejor manera de enfrentarse a la realidad es... enfrentarse a la realidad. Lo que mejor expuso el drama petrolero no fueron los tebeos o la literatura, sino el propio desastre, la incompetencia de los encargados de gestionarlo y los miles de voluntarios llegados de todo el territorio. Primero fue la acción, y después vino la reflexión.

A la gente no le hizo falta ninguna ficción para reaccionar, aunque quizás la necesite hoy para mirar atrás, verse a sí misma desde otro punto de vista y alcanzar una mejor compresión de lo que vivió en primera persona.

Los EPI en los que veíamos a los voluntarios que trabajaban en las playas de Muxía son hoy imaginería común de la pandemia e incluso de la corrupción que emergió rápidamente para aprovecharse del desastre. ¿También hubo aprovechados que ganaron con el desastre del Prestige?

Portela: Sí, aunque entonces no se investigó tanto como ahora, porque era algo nuevo y no se prolongó tanto en el tiempo ni hubo que abastecer a todo el país. Sin duda sería otro elemento a añadir.

San Julián: Sabiendo lo bien engrasada que está la maraña público-privada, lo extraño hubiera sido lo contrario, ¿no crees?

¿Corremos peligro de acostumbrarnos a la ficcionalización de la realidad, confundiendo la realidad que vemos en el noticiario como un episodio más de una serie famosa que emite alguna plataforma?

Portela: Es muy posible. Cada día nos acercamos más a *1984* y a los mundos descritos por **Dick**. No es exactamente como **Orwell**, **Huxley** o el propio Dick lo describieron, pero no iban mal encaminados. En parte es el resultado de la sobreinformación, la manipulación de las redes sociales y la cultura de la inmediatez, entre otras cosas.

San Julián: A mi me preocupa más la segmentación y el refuerzo de nuestros sesgos. Antes habían tres cadenas, dos periódicos y cuatro programas de radio (es un decir) que ofrecían una visión más o menos cabal de la realidad: te podía desagradar y hasta la podías combatir, pero era un terreno compartido desde el que distintas maneras de entender la realidad podían discutir. Ahora, sin embargo, los algoritmos son tan eficientes que cada uno puede encerrarse en su propia burbuja informativa. El resultado de eso es la atomización social y nos lleva a confundir la realidad con las opiniones de nuestros círculos de afinidad.

La sensibilidad medioambiental parece ganar terreno gracias a la indudable realidad de una emergencia climática que deja cada vez más evidente su inevitabilidad. El cómic ha sido un medio militante en el lado que avisaba de lo que estaba por venir (recordemos el Valerian de *La ciudad de las aguas turbulentas* o las historietas de Caza en *Metal Hurlant*). ¿Sigue siendo una potente herramienta de divulgación de la necesaria implicación de la sociedad en la defensa del medioambiente?

Portela: Necesaria, desde luego. Potente, no lo sé. Cada uno hace su aportación como puede. Yo soy de los que piensan que los libros, de una forma u otra, permanecen. Y que hay historias que, como esta, hay que contar, porque tenemos muy poca memoria. Aunque solo sea por eso.

San Julián: Regreso a lo de la realidad que comentaba más arriba. Existen tebeos con sensibilidad medioambiental porque hay un poderoso movimiento en nuestra sociedad que empuja en esa dirección. No somos correa de transmisión de nadie, pero es obvio que hemos recogido parte de ese malestar porque muchos otros antes que nosotros se tomaron la molestia de salir a la calle a denunciar la insostenibilidad del actual modelo económico.

En los 15 años que han pasado desde que hicisteis esta obra ha cambiado profundamente la sociedad en muchos aspectos: la aparición de las redes sociales ha cambiado radicalmente la gestión del activismo popular, el 15-M, el fin del bipartidismo, el aumento desorbitado de la confrontación, la generalización de las *fake news*... ¿Creéis que el resultado hoy sería muy diferente de lo que ocurrió hace 20 años?

Portela: Sin duda. No me atrevo a especular cuál sería, pero sería diferente. Ahora las cosas tienen un impacto más rápido y global y, de igual manera, su importancia se diluye antes. A pesar de que las redes juegan un papel fundamental en la difusión de las cosas, también las banalizan. Creo que muchas veces con un simple *like* tranquilizamos nuestras conciencias. Y eso es muy peligroso porque nos lleva a la inacción. El Metaverso puede ser muy interesante, no lo niego, pero a mí me interesa mucho más el mundo real. Es el único que tenemos.

San Julián: No veo grandes cambios, sino más bien tendencias agravadas por la crisis, la COVID, la guerra, etc. Ya existía en nosotros esa creencia de que podíamos reducir nuestra participación social a un voto cada cuatro años, o la democracia a lo que un señor nos regaló hace 40. La cultura del *clickbait* no es más que la versión con esteroides de una tendencia de más largo alcance.

Sin embargo, y aunque soy un pesimista político, en el fondo soy un optimista social: la gente de este país acostumbra a sacar lo mejor de ella cuando nuestros gobiernos nos meten en callejones sin salida. A la espera estoy del siguiente ciclo de hartazgo.

ÁLVARO PONS

Carlos Portela: Como la realización de la segunda parte de *La cuenta atrás* se demoró bastante, entre medias se publicó la sentencia del juicio del Prestige y se nos ocurrió la posibilidad de relatar a través de un

Versión final en color de la ilustración de portada de *La cuenta atrás, parte 1* (Factoría K de Libros, 2008).

Tintas y versión final en color de la ilustración de portada de la edición integral de *La cuenta atrás*.

CARLOS PORTELA

Carlos Portela (Vigo, 1967). La trayectoria de este guionista nace de la transversalidad de dos mundos: el audiovisual y el cómic. Por lo que al noveno arte se refiere, ha realizado obras como *Impresiones de la isla*, con **Fernando Iglesias**; *Los Heresiarcas*, dibujada por **Das Pastoras**; o *Gorka*, formando equipo creativo con Iglesias y **Sergi San Julián**.

Junto a **Purita Campos** inició *Las nuevas aventuras de Esther*, que supuso el regreso de este icónico personaje del cómic español y que derivó en la publicación de tres libros y dos novelas: *Esther cumple 40* y *La elección de Esther*.

En su bibliografía también destaca **La cuenta atrás**, obra creada junto a Sergi San Julián que, inspirada en la catástrofe del Prestige, fue galardonada con el II Premio de novela gráfica social de la Fundación Divina Pastora.

Sus proyectos más recientes dentro del campo de la historieta son *No a menos de 1000 pies de distancia* y el final de *Las nuevas aventuras de Esther*, que dibujarán **Keko** y **Aneke**, respectivamente.

En su currículum audiovisual hay que destacar su trabajo en *Xabarín Club*, programa icónico de la CRTVG, o la coordinación de guion de *Historias de Galicia*. Sin embargo, la mayor parte de su carrera la ha realizado creando guiones para series de televisión como *Las chicas del cable*, *Velvet Colección*, *Hierro*, *Velvet*, *A lei de Santos*, *Bajo sospecha*, *Auga seca*, *Hospital real*, *Padre Casares* o *Matalobos*. Actualmente trabaja en Secuoya Studios desarrollando la serie *Zorro*. También es subdirector de Viñetas desde o Atlántico, festival del cómic de A Coruña.

SERGI SAN JULIÁN

Sergi San Julián (Barcelona, 1973) se dio a conocer al gran público con *Gorka* (Camaleón Ediciones), serie de fantasía heroica que inició en solitario y continuó con la colaboración de **Albert Monteys**. Más tarde, retomó al personaje en una miniserie escrita por **Carlos Portela**, con **Fernando Iglesias** (Kohell) realizando los *storyboards*.

A lo largo de los años ha participado en sagas creadas por otros autores: en *Fanhunter: Celsquest* (Ediciones Fanhunter), con guion de **Roke González** y color de **Oriol San Julián**, y en *Los Reyes Elfos: Historias de Faerie II* (Dolmen), donde dibujó una historia escrita por **Víctor Santos**.

Para el mercado francobelga dibujó *Interface* (Dargaud), con guion de **Dominique Latil** y color de Oriol San Julián. Y colaboró con el guionista **Xavier Morell** en la miniserie *Lunita* (Amigo Comics), publicada en EE.UU.

Trabaja de forma habitual con la agencia Comicon, para la que ha realizado la serie *Technomage* (Carlsen) con **Josep Maria Polls**, **David Parcerisa** y Oriol San Julián. Además, ha colaborado en las cabeceras *Micky Maus* y *Power Rangers*, y creó junto a **Alexis Capera** *The Staff*, serie de tiras cómicas sobre las vicisitudes de la profesión.

Su obra como humorista gráfico ha tenido difusión en diversos periódicos, revistas de humor y publicaciones alternativas: *Kale Gorria*, *Ardi Beltza*, *Avant*, *Setmanari de Comunicació Directa*, *l'Accent* o *El Jueves*.

En su bibliografía ocupa un lugar muy destacado ***La cuenta atrás***, novela gráfica escrita por Carlos Portela que por fin se publica de forma íntegra en el presente volumen.

AGRADECIMIENTOS

A **Kiko da Silva**, **Lidia Fraga** y **David Fernández**, sin cuya fe, aportaciones y dedicación a esta obra, no tendrías este libro entre las manos.

A **Manuel Rivas** y **Miguelanxo Prado** por su apoyo, generosidad y los magníficos textos que nos han regalado.

A **Álvaro Pons**, que, aunque tenga mil fuegos que apagar, siempre acude encantado a nuestra llamada, y cuya estupenda entrevista contextualiza y complementa a la perfección este trabajo.

A Faktoría K de libros y a ECC Ediciones por los esfuerzos y el cariño puestos en las ediciones de *La cuenta atrás*.

A **Antonio Martín**, **Joan Navarro** y **David Rubín**, que apoyaron este proyecto en sus primeras fases cuando era poco más que un sueño.

CARLOS Y SERGI

Adicado a **Carmela**, por todo.

Grazas...

A **Victoria Nogueira**, pola amizade e o apoio incondicional, e a **Salvador Froiz**, polas ceas compartidas e os impagables consellos coa xiria. Alí onde vos atopedes, grazas de corazón. Bótovos moito de menos.

A **Agustín Deus**, **Ricardo Llovo** e **Carlos Fernández**, bos amigos, pola axuda botada nas tarefas de documentación. Róncalle coa ficción...

A **Lorenzo Díaz** , **María Álvarez**, **Jorge Saavedra**, **Gema Neira**, **Toño Vilaverde**, **Flora González**, **Damián Campanario** e **Verónica Fernández**, compañeiros de viaxe no meu día a día e grandes amigos, por exercer de lectores de proba e por aturarme ó longo do camiño. Que non é pouco.

A **Rosa Laparra**, pola súa infinita paciencia e comprensión. O mellor do premio foi coñecerte a ti. Mil grazas.

Aos meus queridos **Fernando Iglesias** e **Melo** polas súas suxestións e por comprometerse co proxecto mesmo como se fose deles. E que o é.

A meu irmán **Daniel**, que me inoculou o veleno da banda deseñada cando eramos cativos e que nunca deixou de crer que podería facer o meu soño realidade. Mita ti os tebeos de Novaro, os de Vértice, o Strong, o Trinca e os álbumes de Spirou en que rematarón.

E, sobre todo, a **Víctor Sierra**. Sen a túa axuda, entusiasmo e complicidade esta obra non existiría. Grazas, compadre!

CARLOS PORTELA

En estricte ordre de turment: per a la **Júdit**, el **Carlos**, el **Haku** i la **Marta**. I per a tots aquells que, en un moment o altre de la producció d'aquest còmic, no van tenir més opció que cultivar la paciència, la toleràn-cia i la resignació davant les meves mancances com a ésser humà.

I per a l'**Adrià**, per supòsat. Quan abandoni aquest pla de la realitat et deixaré un món ple de merda, una migranya hereditària i aquest tebeo.

SERGI SAN JULIÁN